Tadano Norio
只野範男

飛鳥新社

これが「無税」の全体像だ

家賃やクルマ代などは、経験上4〜6割程度なら経費にしても税務署から呼び出されない。

➔ P.138

事業所得扱いにするカギは、副業の継続性。筆者は年50〜100万円の売り上げで事業所得にできた。

➔ P.40、110

基礎控除に加え、配偶者控除、扶養控除、医療費控除など、使えるものは全部使うこと。

➔ P.62、84

副業解禁によって、フツーのサラリーマンでも副業が可能になってきた。

➔ P.166

スタート

副業を
- しない → 税の奴隷
- する → 収入の扱いを
  - 雑所得に → 税の奴隷
  - 事業所得にして給与所得と合算 → 所得控除を
    - あまり使わない → 税の奴隷
    - めいっぱい使う →

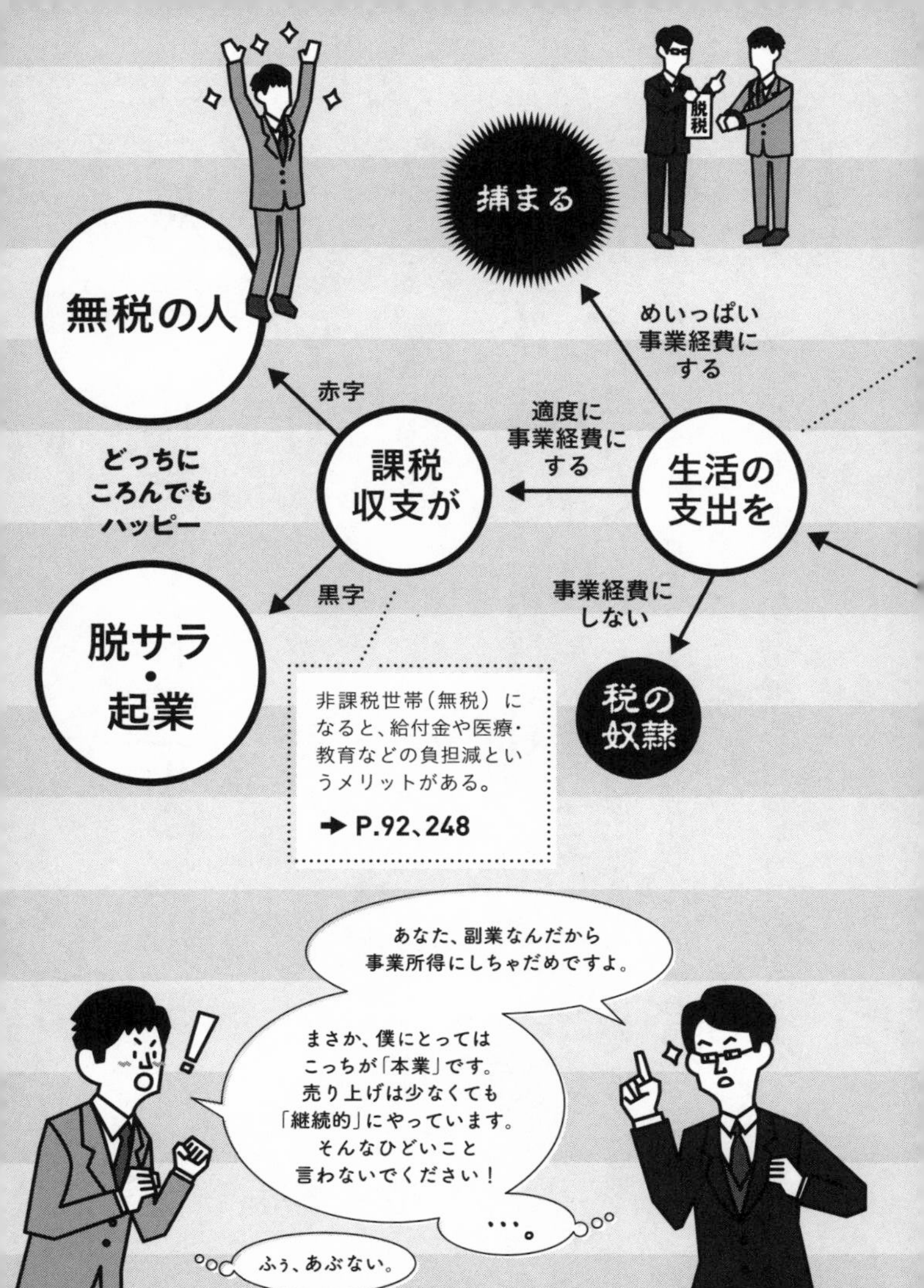
脱税
捕まる
めいっぱい
事業経費に
する
無税の人
赤字
適度に
事業経費に
する
どっちに
ころんでも
ハッピー
課税
収支が
生活の
支出を
黒字
事業経費に
しない
脱サラ
・
起業
非課税世帯（無税）になると、給付金や医療・教育などの負担減というメリットがある。
➜ P.92、248
税の
奴隷
あなた、副業なんだから
事業所得にしちゃだめですよ。
まさか、僕にとっては
こっちが「本業」です。
売り上げは少なくても
「継続的」にやっています。
そんなひどいこと
言わないでください！
…。
ふぅ、あぶない。

文庫版はじめに

「無税」を救命ボートにする

この本では、安月給のサラリーマンでも1000万円超を節税できる方法が示されています。

困難な時代だからこそ、サラリーマンも節税するべきではないでしょうか。

コロナ時代という誰もが経験したことがない、不透明で危険な時代がいきなり襲来しました。皆が多くの課題に直面しています。いやが上にも、生き残り策を考えねばなりません。

とはいえ、未来は誰にも見通せないものです。大震災もコロナも予測することは不可能でした。

そんな我々にできることは、今起こっている現実に目を向けることです。そうすれば、未来への行動指針が必ず見えてくるはずです。

今、眼前に迫るのは少子高齢化の問題です。出生率は過去最低の1・36（2019年）、65歳以上の高齢者は3617万人（2020年）。これは「深刻」というレベルをすでに超えています。

誰が3600万人の老人を背負っていくのか？　現役世代しかいません。65歳以上が全国民の約29％を占めるこの国は、増税なしでは必ず沈没します。

菅首相は「消費増税は10年しない」と表明しましたが、サラリーマンの税にはいっさい触れていません。

これから、サラリーマンにはどんな時代が来るのか。政府が示す近未来図があります。コロナの渦中の2020年7月、政府は「骨太の方針2020」に「フェーズⅡの働き方改革」の指針を盛り込みました。

「骨太の方針」とは、政権が取り組むべき課題や、予算に反映させるための基本的指針のことです。

では、サラリーマンに関係するその中身とは何か。

1 「定期昇給」の廃止 → 成果型賃金に移行
2 「ジョブ型雇用」の導入 → 定額職務給に移行
3 「裁量労働制」の導入 → 残業代ゼロ

これが経団連の提言を反映させた政府の基本方針です。これをひとことで言えば、「実質賃下げ」ということになります。

コロナ禍による経営悪化で、企業は人件費をできるだけ削減したいのです。菅政権は「フェーズⅡの働き方改革」（いわゆる「新・働き方改革」）で企業の願望を後押しすると宣言しました。

これによってハッキリした点があります。菅政権はサラリーマンには「やさしく」ないということです。もう賃金は上がらない。いつクビを切られるかもわからない。サラリーマンの生存環境は、今後ますます厳しくなる。そのことが、政府公表の「新・働き方改革」から明瞭に読めます。

菅政権のキャッチフレーズは、「自助・共助・公助」。「自助」とは、自分のことは、自分で面倒をみろ、ということです。

困ったなぁ…と思いますか？

私は全然ＯＫです。なぜなら、すでに生き延びる対策を準備しているからです。その準備とは何か？

「無税」です。もう税金は払いません。サラリーマンだから天引きされますが、確定申告で全額返してもらいます。

そのやり方は、この本で「サルでもわかるように」書いてあります。

大事なのは、これからどうするかということ。座したままでいるか、やってみるか。選ぶのはあなたです。

おカネに色は付いていません。アルバイトで20万円儲けるのも、天引きされた税金を20万円返してもらうのも同じ20万円。

税金を返してもらうには、確定申告書をチョコッと書くだけ。10分でできます。この作業を毎年1回すれば、前年に払った所得税が全額戻ってくるのです。

コロナ禍の不安な時代は、だれもがお金に頼りたいもの。

そこで、起業、株投資、投資信託、アパート経営、マルチ商法など…、いろいろ考えてみるかもしれませんが、リスクは必ずついてきます。

ノーリスクなのにハイリターンのビジネスがあると訊けば、間違いなく「怪しい」と思うでしょう。しかし、100%合法の収入アップ術がこの世に存在するのです。

それが「無税」になること。これは絶対「損」しない〝鉄板〟資産形成術です。


本業の邪魔にならない程度に、好きな分野や得意なことで副業を始めて——現に政府が副業を持つことを推進しています——それをテコに「無税生活」に突入することを検討したらどうでしょうか。

そうなれば、クルマ、家賃、光熱費、ケータイ代、パソコンなど、かかった費用の3~5割程度は、副業の必要経費に計上できます。

仕入れを兼ねていれば、海外旅行も経費で行けます。食事もお客をまじえているなら商談になるから接待費で落とせるのです。

その結果、副業が赤字になれば、「無税」の第一条件を満たしたことになります。

では第二条件とは何か。

副業の所得を税務署に事業所得として認めてもらうことです。副業の所得は、事業所得か雑所得のどちらかに区分されます。この区分を決めるのは、税務署です。

「無税の人」になるには、副業の所得が、事業所得に区分されることが絶対条件です。なぜなら、事業所得であれば、給与所得と損益通算（赤字と黒字の相殺）ができるからです。

一方、雑所得に区分されると、給与所得と損益通算ができないため、天引きされた所得税は1円も戻ってきません。

この判断基準は、あなたの副業（事業）に「継続性」があるかどうかが最大のポイントです。

たとえば、たまたま投稿した原稿で報酬を得た場合、この報酬はいっときの儲けですから、雑所得に区分されます。

一方、作家が継続的に原稿料を得ていれば、その報酬は「事業所得」です。ある税金本に、サラリーマンの原稿料は雑所得になり、フリーライターの原稿料は事業所得になるとありました。

これは間違いです。サラリーマンが「継続して」原稿料を受け取っていれば、事業所得になります。

何十年も赤字が続いている個人事業（副業も含む）でも、売上げが継続的にあるなら、その所得（赤字）は「事業所得」です。

経営が黒字か赤字かは経営の結果にすぎず、副業の所得の区分を判断する材料にはなりません。

確定申告をする際は、事業所得で申告しましょう。

副業の事業所得の赤字と、給与所得の黒字を相殺して、課税所得がゼロまたはマイナスになれば、還付金を請求できます。

すると、払った所得税がすべて返ってきます。

これが、「無税」のスキームです。

いつまで正社員でいられるか、見通せていますか？

正社員でいられても、テレワークの効果が見えてきた今、地方に会社が移ることもありえます。現に、人材大手のパソナは淡路島に本部を移しました。

地方で暮らすのが嫌なら、退職しか選択肢はありません。そんなことできますか？

いつクビになっても、あるいは退職してもいいように、給料が入ってきている間は、無税というこの世でいちばんラクな収入アップ術で資産形成に励むことが、あなたの「救命ボート」になります。

会社が、あるいは日本丸が沈み始めたら、ボートで逃げ出しましょう。タイタニック号の沈没でも助かったのはボートに乗れた人です。


さて、ここからは不謹慎を承知で言います。

税金を無駄に使われても、無税になると腹が立ちません。ストレスもたまりません。

なぜなら、税金を払っていないからです。

「ずるいな」と言われたら、「Amazon も税金を一銭も払ってないですよ」と、そっとつぶやきましょう。

私が提案する「無税」のスキームなど、Amazonに比べたら無邪気なものです。「桜を見る会」は中止になりました。いずれ復活する日が来るかもしれません。そうなれば、安倍前首相は必ず呼んで盛大に税金でやってください。

無税になると、住民税もゼロになるから非課税世帯になります。そうなると、公営住宅の家賃減免、保育料無料（0～2歳）など一般世帯よりかなり良い条件で市区町村の提供する住民サービスが受けられます。

国は今後、サラリーマンに対し、クールな「政策」を押し付けてきます。あなたはそれを「仕方がないな」と羊になって受け入れますか。

それとも、自身を守る「盾」を今から準備しますか。もし後者なら、拙著が少しでもお役に立てれば幸いです。

２０２０年10月吉日

著者

文庫版はじめに　「無税」を救命ボートにする

はじめに

無税1000万円超への道

お金をノーリスクで儲けるには、節税がいちばんです。この本を読めば、税務署が絶対に教えてくれない、安全に「無税」にする方法がわかります。

実は私、12年前に『無税入門』という本を出した元サラリーマンです。「無税」とは、非課税という意味ではありません。給与から天引きされた税金が、ブーメランのように自身の財布に戻ってくる現象をいいます。

旧著のテーマは「私の〝無税人生〟を完全公開しよう」でした。所得税を全額還付してもらうためのハウツー本で、おかげさまでベストセラーになりました。

私が「無税」で40年間暮らし、支払いを免れた所得税と住民税は1000万円を超えます。もっとも、そのお金は生活費に消えてしまいましたが。

では、なぜ今、このタイミングで新作を世に問うのか。

旧作から新作までの10年間で、状況が大きく様変わりしたからです。

「副業で税金を取り戻せ」をコンセプトにした新作にとって、2018年初めの政府による「副業解禁」宣言はまさに追い風です。

今までは85％超の企業が副業禁止でした。今年、政府はこの固く閉ざされた扉にガシッと両手をかけ、新しい風を入れようとしています。

無税生活のメリットは、今こそ最高潮に達しているといっても過言ではありません。

何が変わり、時代の流れはどこに向かうのか。本書では、それをしっかりとお伝えできればと思います。

副業はカネを稼ぐためだけにあるのではありません。副業を使って〝無税の人〟になることもできるのです。それにはどうすればいいのか？

ハウツー本の使命は、どうしていいかわからない人にゴールへの最短の道をもっともわかりやすく明示することです。

旧作と比べると新作は、〝無税１０００万円超への道〟を照らす光度が倍増しているのではないかとひそかに思っています。

もちろん旧作を知らない方にもお読みいただけますし、旧作を読んでくださった方が知りたかったであろう新しい情報も詰まっています。

人生１００年時代の今、拙著があなたにとって「これからの生涯設計」の一助になれるなら幸いです。

２０１８年9月吉日　著者

はじめに　無税1000万円超への道

完全版 無税入門　目次

第1章

時は移り、機は熟した

政府方針は「副業解禁」

政府は2018年初めに「副業解禁」を宣言しました。副業・兼業を積極的に推進する方向に大きく舵を切ったのです。

現に同年1月、国は早速「モデル就業規則」の一部を改定しました。モデル就業規則とは、企業が就業規則を作成する際に参考にする「お手本」です。

・改定前 ↓ 許可なく他社の業務に従事してはならない。
・改定後 ↓ 勤務時間外に他社の業務に従事することができる。

これは労働者にとって、戦後最大級の改革です。これまでは会社に内密に副業をすると、〝改定前〟の条項に抵触し、懲戒処分の恐れがありました。

条項が〝改定後〟に変更されれば、副業を「やりたい人はやっていい」ということになります。多様な働き方を選択できる社会の実現を目指す政策の具現化です。

では、副業・兼業に対する企業の考え方はどうなのでしょう？

リクルートキャリアの２０１７年の調査では、全国１１４７社のうち、副業禁止の企業が約77％に上ります。

少し前までは85％超の企業が副業禁止だったので、風向きに変化の兆しがうかがえます。大手企業もジワリと動き出しました。

拙著のテーマである「無税の人」になるには、副業することが必須ですから、背中から追い風が吹きはじめたようです。

社員の意識も変化しはじめました。総務省の調べ（２０１２年）では、副業をしたい人は５・７％と少数派でした。これは禁止の縛りがきつかったからかもしれません。

それが、「大副業時代の幕開け　政府・企業が後押し」（２０１８／５／６日本経済新聞）とあるように、働く側の視野に「副業」が入るようになりました。

公務員は副業禁止が大原則です。講演ひとつするにも上司の許可がいります。何も言われないのは、株取引や貸家業くらいに限られていました。

その公務員の世界にも、蠕動（ぜんどう）がはじまっています。大阪府生駒市では、地域貢献活動の範囲内という条件で副業を認めました。ある消防士は、子どもサッカーのコーチとして報酬（1日8000円）を得ています。

国が投げた「副業解禁」という〝時代の球〟を、あなたはどう打ち返しますか。「変革期」への対応力が、否応なく試されようとしています。

新しい働き方の幕あけ

いろいろな働き方を認めていかなければ、少子高齢化にあえぐ我が国のＧＤＰは上昇しないと専門家はみています。

政府提唱の「生涯現役社会」の真意とは、女性と高齢者の労働市場への参加による人手不足解消と、国民にできるだけ長く働いてもらい、税と社会保険料を負担してくださいというものです。

サラリーマンも企業も、新しい時代に合わせた働き方を模索せざるをえない時代が到来したのです。

政府の方針を受け、副業を認める企業が徐々に増加しています。代表的な容認理由は、次の3つです。

・社員からべったり依存されるのは困る。
・社員の働き方に柔軟な会社になれば、多様な人材の確保につながる。
・社外で働くことで本業にプラスになる刺激を受けてほしい。

これから副業を持って「無税サラリーマン」を目指す人にとっては、まさにビッグチャンス到来です。

副業を「複業」と呼ぶ人がいますが、もっと先を目指して「副業＝福業」にしたいものです。なぜ副業を持てば、「無税の人」になれるのか。そのワケはおいおい述べていきます。

今までの仕事人生に対する考え方が、もはや通用しない時代に入ったのは確実です。とりわけ、ＡＩの進化によって、職場環境は劇的な影響を受けるはずです。

30歳の男性薬剤師が「ＡＩに取って代わられるかもしれないので副業を考えています」とテレビで語っていました。

18世紀の産業革命は労働者に大きな衝撃を与えましたが、職場は奪われませんでした。ＡＩの出現は産業革命を超えるインパクトがあります。

ＡＩは不眠不休で働いても、給与や過剰労働に対する不満は一切訴えません。

「あなたの仕事はＡＩにやらせます」

こんな排除宣言をいたるところで耳にするようになるでしょう。近未来は、現在の延長線上にはありません。

長期投資に「無税」を組み込む

給料が上がらなくなりました。国が「働き方改革」の一環である時短（労働時間短縮）に力を入れ、残業代が平均で６％減っているのが一因です。

「これからは副業・兼業を認めますから、自分で収入を増やしてください」

と国はスタンスを変えたのです。

急激な少子高齢化で将来の年金は今の３割減になり、68歳支給開始は10年以内に実現するといわれています。

「老後不安は自助努力で払拭してください」

超高齢社会に向かってばく進中の今、これが国の本音でしょう。

政府は老後資産を形成するための金融商品に「節税」や「無税」という特典をつけました。つみたてＮＩＳＡ（ニーサ／少額投資非課税制度）、ｉＤｅＣｏ（イデコ／個人型確定拠出年金）などです。本来は利益の20％強が税金として取られますが、これらは無税です。

さらに、ｉＤｅＣｏの掛金は、全額が会社の年末調整で所得控除されるので、所得税が安くなります。

コツコツ積み立てた後に受け取る年金（ｉＤｅＣｏ）は、退職所得控除と公的年金等控除の対象となり、無税になる場合がほとんどです。

この政府が後押しする「つみたてＮＩＳＡ」、「ｉＤｅＣｏ」の最大の魅力は、その節税効果にあります。「老後資金をつくるには、最強の節税ツール」と専門家にも好評です。

「つみたてＮＩＳＡ」や「ｉＤｅＣｏ」と自分メイドの「ブーメラン税金（所得税の還付金）」の長期戦略プランの2本立てで、老後の安泰を目指しましょう。

では、自分メイドの「ブーメラン税金」で一体いくら手に入るのか？

それはあなたの納税額次第です。年間10万円の税金を納めている人もいれば、50万円の人もいます。

「時間を味方につけて継続的に」が、資産運用の一丁目一番地。先述した「つみたてNISA」、「iDeCo」などは毎月1回、自ら選んだ金融商品に一定額を拠出し、「iDeCo」の場合は60歳以降に年金として一括または分割で受け取ります。

他方、「ブーメラン税金」は年に1回、確定申告後に納めた所得税が戻ってきます。これらを数十年続ければ、「第2の退職金」に育つ可能性があります。

副業を使った「ブーメラン税金」は、決して損することがない資産形成ツールです。「兼業農家」が存在するように、これからは「兼業サラリーマン」や「副業サラリーマン」という言葉が世の中に定着していくかもしれません。

そして、サラリーマンは副業を「持つ人」と「持たない人」に二極化され、さらに「持つ人」のグループ内では、次のように3つに区分されていくでしょう。

- **めいっぱい税金をむしり取られ続けるどこまでも税に関心の薄い人**
- **本業と副業をうまく両立させて収入を増やし、税にも強い関心を持つ人**
- **副業の赤字を使って本業の税金をゼロにする「無税の人」**

第2章

旧『無税入門』出版後、どうなった？

私の住む町の図書館では､旧作『無税入門』が借りられます。図書館が作成した「内容紹介」にはこうあります。

——私の「無税人生」を完全公開しよう。

税金ゼロこそ、手間とコストのかからない、

強力な生活防衛術のひとつだ!

サラリーマンなのに無税になる理由と仕組みを解説し、

「取られない人間」に変身するノウハウを紹介する。

旧作が出てから10年が経過しました。その間のトピックスを時系列で述べてみます。

・2007年10月、発刊。まったく反応なし。

・1年後の2008年9月13日(土)、朝日新聞に拙著の記事が小さく出た。

その夜、アマゾンで一気に2位におどり出る。

・2日後の08年9月15日、リーマン・ブラザーズ破綻。

100年に1度の世界的な金融危機が勃発した、と大騒ぎに。

・08年10月、日経平均は6営業日連続で2000円下落。1万円を割り込んだ。

・10年後の2018年、日経平均は2万円台を維持。

政府は「働き方改革」の一環として「副業解禁」を宣言。
・2018年6月、国家公務員、公益性の高い業務のみ、副業容認へ。

以降、恐縮ですが私自身の話をさせていただきます。「無税」「副業」といった事柄に社会や税務署はどんな目を向けてきたのか、おわかりいただけると思いますので、しばしお付き合いください。

朝日が吹かせた〝神風〟

２００８年９月13日土曜の朝、朝日新聞の一面に「サラリーマン『逃税』の乱」と題する特集記事が出た。12年前です。

記事は３面（社説の右）と12面で大々的に展開され、一面では大手商社に勤める給与１４００万円の高給取り（50代）と、しがないサラリーマン（私）を鮮烈に対比し、２人の「逃税生活」を描いています。

商社マンは税の知識をフル活用し、ほぼ「無税の人」。「そこまでやるかぁ」とその手法のえげつなさにあきれました。

商社マンの節税ライフを紹介する見出しには、「国には何も期待しない」とあり、中段には「高級車、家族旅行代、子どもへのバイト代…『すべて事業の経費』」と大きな活字が躍っていました。

子どもの保育料軽減や教育助成金など、自治体の低所得者向け補助も受けてきた、と彼は語った。

高収入サラリーマンの「うまくてすごい節税自慢」を1面でたっぷり読まされた後に、しがない男（58）が、3面の記事の隅からふらっと登場。以下に記事を要約します。

- **年収500万円ほどの平凡な生活**
- **その一方で37年間、所得税や住民税を払っていない**
- **「節税装置」は趣味のイラストづくり**
- **雑誌に寄稿し、毎年50万円ほどを得ている**
- **この「事業所得」に様々な「経費」を積み増して赤字にし、給与所得との合算で納税を免れてきた**

3面隅の縦13字、横33行、400字ばかりの短い記事に、サラリーマンの一部が強く反応し、当日のネット書店の在庫はいきなり消えた。こんな〝場末〟の泡沫記事に動いた人がいたことに驚きました。

一躍、「売れっ子」に

２００８年9月中旬から1か月ほど、いろいろと声がかかった。10月8日、文化放送の「大竹まこと　ゴールデンラジオ！」に自宅から電話で生出演した。

「今日のお客様は、ニッポン国に〝タダ乗り〟している〝タダノ・ノリオ〟さんです」と大竹氏に紹介された。

「どういうことですか？」とアシスタントの女性。

「税金払ってないのよ。この人」

彼に訊かれたことは、およそ次の3点でした。

1　天引きされる税金を全額取り戻すための「無税装置」の仕組み

2　その仕組みをどのように開発したのか

3　37年間も国税庁からクレームがつかなかったワケ

ラジオの後は、駅前のホテルで週刊SPA！の取材を受けた。週刊ポスト（取材なし）は、リーマン・ショックで世界中が騒然となっているとき、「無税族の叛乱――言いなりの税金はもう払わん」というコンセプトの特集を6週連続で組んだ。

「無税サラリーマン」という新語が、税に関心が薄かった人々の胸に届き、さざ波を生じさせていた頃でした。

10月11日（土）、講談社の編集者、フリーライター氏と駅前のホテルで面談。写真は勘弁してもらいました。

「年齢から全共闘運動に加わり、ゲバ棒を振り回していた人を想像していました」

編集者は笑みを浮かべて言った。

社会にでてからは小市民として平穏な生活を送っているが、裏の顔は権力にむしり取られた税金を奪い返す戦いを挑む〝無税闘士〟を想像していたようです。

「あのボク、高卒ですから、当時はもう働いていました」と私は答えた。

約1か月後に出た雑誌「セオリー 6 お金の探求。」（08年11月）を開いて、大きな活字のキャッチーなリードに驚かされた。

――朝日新聞記事で火がついた。

「税金ゼロ」サラリーマンは国税に勝てるか？

大仰な見出しは、売るためにつくっているのだから仕方ないな、と思った。記事を読むうち、「蟻サラリーマンVS国税」という対立図が頭の中に浮かびました。

ただ、当時の私は日々の生活に精いっぱいで、国家権力の塊「国税庁」に〝無税〟を仕掛けてやろうなどという気持ちは、砂粒ほども抱いていませんでした。

「あんたは無意識かもしれないが、やっていることは税逃れ、まさに権力への挑戦だよ」

編集者はそう言いたいのかもしれませんが、底辺サラリーマンの私には、国家権力はまったく意識の外の存在でした。

ある税理士は、「あえて触れてこなかった事業所得と雑所得のグレーゾーンに踏み込んでしまった男」と只野範男を評しました。

「無税」になれたワケ

私の収入は、給与と副業の2本立てです。2つの所得（給与所得と副業の事業所得）がある場合は、次のような流れで所得税を算出します。

１　２つの所得を合算します。その際、赤字と黒字の所得は相殺できます。
２　合算した所得から各種所得控除を引き、課税所得を出します。
３　課税所得に対応する税率をかけて所得税を出します。
４　課税所得がマイナスになれば、所得税はゼロです。
５　すでに納付した所得税があれば、確定申告をすると還付されます。

給与所得は常に黒字ですが、副業の所得は売り上げや、必要経費がかさむと赤字になります。私のイラスト制作・販売は売り上げが少ないため、必要経費を引くと赤字です。

確定申告の際に、黒字の給与所得と赤字の事業所得を相殺（損益通算という）し、その金額から所得控除（扶養控除、基礎控除など）を引くと、課税所得がゼロ以下になります（確定申告書にはゼロと記入）。

課税所得がゼロ以下になれば、所得税は当然ゼロです。このゼロ円が赤字の副業を持つ私の「正確な税額」です。

私はすでに給与から所得税を納付しており、その分が納め過ぎになるので、確定申告をして取り戻すわけです。

この還付金が「ブーメラン税金」で、副業を持たない給与所得だけの人には、決して起こらない現象です。

このように「副業で税金をゼロ」にできるのは、副業が赤字経営の場合のみです。


確定申告とは、個人事業主が国に自身の税金を申告・納税する作業です。副業を持つサラリーマンも個人事業主ですから、副業が黒字の場合は確定申告によって税額を算出し納税する義務があります。

私のように赤字の場合は、納税額がないので確定申告の義務はありません。ただ、源泉徴収で所得税を納めている場合は、申告するとその分の所得税が還付されます。


副業の必要経費としては、家賃、光熱費、通信費、車のガソリン代と維持費などを計上しました。これらの経費を家庭用と仕事用に6対4に按分し、4割を仕事用とし、画材費全額を足すと副業の必要経費全額がでます。

売り上げから必要経費を引くと、事業所得（イラスト制作・販売）がでますが、必要経費の方が多いため、事業所得は赤字になります。

事業所得がアイマイなのはなぜか

私のイラスト販売は、波はありましたが月5万~10万円程度は売り上げていました。ただ、これでは食えないので、副業としてサラリーマンをせざるをえなかったのです。私の胸中は本業がイラスト描き、サブがサラリーマンです。したがって、イラスト販売で得る所得は事業所得として確定申告をしていました。

この理屈が、国税当局に通用するかどうか――これが今回の「セオリー 6 お金の探求。」の記事における第1のテーマでした。

事業所得とは個人事業主が行う「事業」の儲けであり、雑所得とは10種類ある所得のうち、どれにも属さない所得のことです。

一般的にサラリーマンの「副業」から得た儲けは、雑所得に区分されます。ただし、「食えるほど」儲けが大きい場合は、事業所得になります。

国税庁は事業所得と雑所得の境界線をあいまいにしており、明確な線引きをしていません。あいまいにしている理由はなにか――これが第2のテーマです。

事業所得は給与所得と損益通算が可能ですが、雑所得はそれができません。言い換えると、副業収入が事業所得として当局から認められず、雑所得に区分替えされると損益通算ができないため、「副業で税金ゼロ」は不可能になります。


編集部は元国税調査官で、「節税本」のカリスマ・大村大次郎氏に先の2つのテーマについて、見解を訊いています。

以下、「セオリー 6　お金の探求。」（08年11月）から引用します。

「事業とは認められないと却下してしまうと、万が一、小説が売れたときに困りますよね。印税がものすごいのに『これは事業じゃないと言ったよね』と言い張られ、一時所得など税率の低い区分で申告されてしまう。そうなってもマズイわけです。

これは副業の収入額についても同じで、収入ゼロの年に経費だけ申請してきたのを拒絶するのはリスクをともなう」

大村氏の説明は、私の胸にストンと落ちなかったので、一時所得について調べてみました。それは、馬券が当たったような「棚ぼた所得」と解釈できます。

その課税方法とは、次のようなものです。

「一時所得は、その2分の1に相当する金額を給与所得などの他の所得と合計して総所得金額を求め、所得税の税率表に当てはめて税額を求めます」とあります。

所得を半分にしてから、税率をかけるから、国税局には不利ということなのか。

事業所得について、明確な定義は存在しません。そもそも「事業」の定義が税法にはないといいます。だから、雑所得との境界線があいまいなのか。

大村氏は「あいまいにしている理由」をこう説明します。

「インターネットの普及で副業がやりやすくなり、事業所得で確定申告するサラリーマンがポッポッ出てくるようになりました（中略）。

新しい現象だから、税務当局としてもまだ扱いを決めかねているんです」

2008年10月のこの発言から10年が経ちましたが、今も事業所得と雑所得の線引きは、依然として「あいまい」なままです。

大村氏は先を続けて、

「ぶっちゃけた話、所得税を全額還付しろという申告書が出ても、事業収入の額が少なければ深くは見ません。（中略）地方の国税にいた10年前の感覚だと、副業収入が500万円以下なら監視の目からはずれた」

元国税調査官の大村氏は、その理由をこう説明します。

「売り上げが少なければ、追徴課税しても、たいした額にはならない。どうせ帳簿をきちんとつけてないだろうから、調査に入っても手間がかかる。費用対効果の面でいくと、ものすごく効率が悪いから、小さいところはスルーする」

この説明は、私にもよくわかる。税務署の仕事は、できるだけ多く税金を徴収することだから、「メダカ以下の個人事業主」を問い詰めても時間の浪費になる。それで、私の申告書もずっとスルーされてきた可能性があるということだろう。

「だとすると、この手法に死角がないように思えますが…」

と編集氏は訊いた。

「税務当局を舐めちゃいけない。税法というのは簡単に変わる。事業所得を使って所得税ゼロを目論む人が増えれば、当然、すぐに対策がとられる。今は絶対数が少ないから、見逃されているだけで。まあ、真似する人が出てくるかというと、そんなにいないと予想していますけど」

この発言の後、大村氏はインタビューの最後をこう締めた。

「サラリーマンは面倒くさがり屋が多いですからね。それに、副業はかなりの負担になる。副業で大儲けを目論むならともかく、節税目的で赤字にする意欲が湧くでしょうか」

この予測は外れました。名目だけの副業を仕立て、架空の赤字をつくり、還付金をかすめ取るサラリーマンが急増したのです。

編集部は最後に、私の「無税装置」や高収入サラリーマンが「子どもへのバイト代を経費扱いにしていること」について国税局個人課税課に見解を問い合わせています。

「個別の報道について、あるいはひとつひとつの例については、お答えできません。ただし、必ずしも税法上問題がないとは言えないのではないか。

仮に、課税法上問題があれば、調査して適正な課税に努めます」

一点の曇りもない模範回答です。もし「不正」が発覚すれば、高利率で5年前まで、悪質だと判断されれば7年前までさかのぼって追徴されることになります。

とはいえ、徴税額を競わされている税務署員が、メダカ以下の「無税の人」を追いかけまわすことは、レアケースだろうと容易に推測できます。

雑誌「セオリー　6　お金の探求。」（08年11月）が出た後も、マスコミは「無税」を取り上げることをやめず、私には取材依頼が続きました。

２００８年11月の夕刊フジでは「金融危機に屈しない　サバイバル術はこれだ」と見出しをつけ、「裏ワザ」の使い手として紹介されました。

裏ワザとありますが、給与所得の黒字を事業所得の赤字で相殺し、「課税所得ゼロ」をつくりだすという、税法を少しでもかじった者なら誰もが知っている平凡な手法です。

「無税」ブームの火消えず

２００９年が明けた。世界はリーマン・ショックによって大混乱していたが、一部のサラリーマンは、「自分も〝無税の人〟になるぞ」と気持ちを高揚させていたかもしれません。

同年3月、先の雑誌に登場した大村氏の『改訂版　脱税のススメ』という人目をひくタイトル（出版社がつけた?）の新刊が出ました。

冒頭に「筆者のところにも、同書（『無税入門』）に関するコメントを求める取材が多数あった」とあり、3章では「『無税入門』は本当に可能なのか?」と項目を設け、「只野範男の手法」に言及しています。

大村氏はまず、「この方法は特に目新しいものではなく、税務の世界では比較的よく知られたものだ」と述べてから、「やり方も複雑ではなく、税法の基本的な仕組みを使っただけのものである。（中略）ただ、実際にやるとなると、かなり難しい面がある」と記しています。

副業収入を事業所得とするには、ある程度の売り上げが必要であり、それを本業のかたわら稼ぐのは容易ではない、というのが大村氏の考えです。

「ネット通販などで、ほとんど収入のない事業をはじめたところで、それを事業として申告するのはなかなか難しいものがある」と記した後に、

「税法上、収入がどのくらいあれば事業として認められるのか、その線引きは存在していない。事業によっては、準備段階や時期に応じてまったく収入がないものもあるので、これだけ稼げば事業として認められる、という線引きがつくれないのである」

大村氏は無税生活を夢見る人たちにクギを刺すことを忘れません。

「具体的な金額を明言できないが、ある程度の実績がなければ事業として認められるのは難しいと思っておいた方がいいだろう」

このように、「無税の人」になるには、副業である程度稼げることが必須条件なので、誰もがそう簡単にはなれないのです。

見逃されてきた只野氏

元国税調査官の大村氏は、先の『改訂版 脱税のススメ』（２００９年発刊）の中で、『無税入門』の落とし穴を指摘し、こう強調しています。

「著者（只野範男）は37年間、この方法を使って無税でやってきた、ということを述べている。それを聞くと、さもこの方法が税務署から認められたものであるように受け取れる。しかし、税務署が何も言ってこなかったからといって、イコール税務署が認めた、というわけではない」

その通りだ、と私も思います。

税務署は約２２２１万人もいる確定申告者をすべてチェックできないから、費用対効果を考え「多額の徴税が期待できる者」から優先して調査するのが道理です。

私のようにちっぽけな「蟻未満」には、チェックが及ばない可能性は極めて高いと思います。私の確定申告書は通ったが、それは認められたからではなく、業務量が多過ぎて手が回らず、単に税務署が「スルーした」だけ、というのが大村氏の見解です。

私は37年間、「スルーされてきた男」だったわけです。

運が悪い人なら呼び出され、問題が発覚すれば、過去にさかのぼって追徴の憂き目にあうでしょう。

私の場合は、経費の水増しはしていないから何も出てはきませんが、事業所得を否認され、「イラストの売り上げは雑所得だから、申告書を出し直せ」と指導されていたかもしれません。

大村氏は先の『改訂版 脱税のススメ』の中で警告しています。

「『無税入門』の方法で、税金をゼロにすることは可能である。だが、誰もが無条件にゼロになるわけではない。あくまで条件を満たした特定の人たちにとってのみ可能ということになるだろう」

では「特定の人」になれる条件とはなにか。私なりにまとめてみました。当局との争点は「副業収入は事業所得か雑所得か」――これに尽きます。

1　継続した事業を営み、一定の売り上げをあげること。私の場合は年商50万円～100万円程度は確保できていた。

2　当局から事業所得を否認されたら、売り上げが少ないということだから、売り上げを伸ばす努力をし、再度挑戦すること。

最大のポイントは、「2」です。売り上げがいくらあれば、事業所得に認定されるのか、当局は確たる基準を公表していません。

明確にできないのか、あえてあいまいにしているのか。それはわかりません。「生計維持できるレベル」という説もありますが、これもあいまいです。

なぜなら、妻が共稼ぎで生計を支えている自営業者は、「1人では生計維持できない」レベルですが、その所得は「雑所得」かというと、「事業所得」に認定されるケースがほとんどです。

『改訂版 脱税のススメ』には、「『無税入門』を真似て、形ばかりの副業を行い、税金還付を受ける者が続出すれば、税務署もそれを摘発するようになるだろう」とあります。

4年3か月後、その〝予言〟は現実化しました。

東京地検特捜部は、サラリーマンやOLを相手に「脱税セミナー」を開催していたコンサルタントの男（34）を確定申告の開始前日という絶妙の日に逮捕しました。

無視できない数のサラリーマンが、架空の副業で赤字をつくり、不正還付金を手にするようになっていたと思われます。

国税当局は「無税族」がうじ虫のようにわきだすのを見逃せなくなり、東京地検に告発し特捜が動いたのです。

第3章

激震！東京地検特捜部が出動

「不正還付金セミナー」大盛況

マスコミが火をつけた「無税の火」は一気に燃え上がり、半年ほどで消えたように見えた。が、実態は「不法無税族」がひそかに繁殖していたのです。

２０１３年１月、ＮＨＫの記者から突然電話がありました。およそ４年ぶりのマスコミ関係者からの接触でした。

本書を書くにあたって記者名をネット検索すると、当時は放送記者、その後はキャスター、現在は解説委員とあるが未確認です。

「経営コンサルタントが無税をテーマにセミナーをしていますが…」

と彼は切り出した。

「どういうことです…？」と私。

ネットには、「税金をタダにする裏ワザ教えます」や、「これで一生、税金からフリー」といった「税金ゼロ円」セミナー広告が多く出ている、と記者は教えてくれた。

「そんなこと、やっているんですか」

「ホームページで派手に宣伝して、サラリーマンやＯＬを誘いこんでいます」

私はすでに退職し「無税の人」から足を洗っていたから、「無税」についてはまったく関心がなかった。

記者がいちばん驚いたのは、私が「国税当局から問い合わせを受けたことがない」と答えたことだった。

「えっ！　一度もないですか…」

まったく信じられない、という声音だった。

「ないですよ。随分前にこちらから税務署に質問したことはありますが」

私は少し笑ったが、相手は「そうですか」と言ったきり、黙った。想定と違った答えに次の問いが出てこないようだった。

「ハガキの呼び出しもないですか？」

「ないですね」

姿は見えないが、首をひねっていたのではないか。

「でもずっと無税でしたよね」

「ええ」

「それについてはどういうお考えですか？」

「別になにも考えはないです」

「う〜ん、悪いことだとは思っていなかった…?」

「そんな意識はなかったですね」

「それだけですか、法律違反すれすれですよね」

「あまり深く考えていませんでしたね」

「わかりました」


電話は消化不良気味に切れた。当局から接触がなかったことが、どうしても納得がいかない――そういう思いが最後まで声ににじんでいた。

「見せしめ」逮捕劇

電話から1か月後の2013年2月15日、確定申告開始の前日だった。たまたま見たNHK夜7時のトップニュースに、私の目は吸い寄せられた。

拙著『無税入門』の表紙がテレビ画面に大写しになった後、経営コンサルタントの男(34)が数名の地検係官に連行されていく映像が流れ、ニュースは次のように伝えた。

「サラリーマンやOLに架空の副業で赤字が出たと偽りの確定申告をさせ、源泉徴収された所得税を不正還付させた疑いが持たれています」

画面は脱税指南のセミナーの様子に変わり、男がこぶしを突き上げ「無税だ！　エイエイオー」と叫ぶと、受講生たちもそれに合わせてこぶしを突き上げていました。

逮捕の日に備えて、仕込んでいた「絵」に違いない。ニッポン最強の捜査機関・東京地検特捜部が、こんな小物を捕まえるために出張ったことに驚かされました。

申告開始日前日の逮捕に大きな意味があるはずで、国税庁、特捜、NHKが連携し、「不正申告には厳正に対処しますよ」という強烈なメッセージを放ったな、と私は思った。

約1か月前に記者が電話してきたのは、私の様子を探るためではなかったのか。東のインチキ・コンサルタントと西の元祖『無税入門』の著者の逮捕劇を流せば、強烈な絵柄を見せられると考えたのではないのか。

しかし、「国税から一度も接触はないですよ」と私が答えたものだから、記者は「西の絵」を断念した…。

コンサルタント逮捕のニュースは、翌日もテレビで取り上げられた。不法無税族とその予備軍、ネット上で不正還付指南の広告を出しているコンサルタントたちに対して「悪さをするとこうなる。しっかり見ろ」と語るニュース映像だった。

コンサルタント逮捕という根元を刈り取る方針は、数か月前には決まっていたと思う。インチキ・コンサルタントの内偵捜査と並行して、税務署は私の過去の確定申告書を精査したに違いない。

「不正還付金セミナー」では、税金が確実に還付される確定申告書のうまい書き方や、税務署の目をすり抜ける裏ワザなどを教えているというが、そんな方法はもちろん存在しない。

「申告書は混んでいる締め切り日ギリギリに提出すれば、チェックされない」、「少額なら税務署は来ない」などとセミナーでは助言していたという。

馬鹿げたアドバイスだが、何も知らないと信じてしまうかもしれない。高い受講料を払ったセミナー参加者は、顧客リストから一網打尽にされただろう。

彼らは税務署に調べられ、5年、悪質なら7年さかのぼって、重加算税や還付金に対する利子相当額の延滞金を支払うことになる。

私の場合は、確定申告書に次の計算結果を淡々と記入していた。

1　副業の売り上げから必要経費を引くと、事業所得がでる。
2　事業所得（赤字）と給与所得（黒字）を合算する。
3　合算額から所得控除を引くと、課税所得がでる。
4　課税所得がマイナスなら、所得税はゼロになる。
5　所得税がゼロなので、納付済みの所得税が戻ってくる。

こうして、私は副業を使って「無税の人」になれたのです。

なぜ摘発されたのか

国税庁にとってサラリーマンは、何ひとつ文句を言わない上得意客です。そうしたお客たちになんという悪知恵を吹き込むのか、と国税庁は苦り切っていたと思います。架空の売り上げを計上したサラリーマンの確定申告書が、大量に提出されるようになって、当局も見てみぬふりができなくなったのでしょう。

どこからみても真っ黒な申告書を受理し、黙って所得税を還付するなら、税務署がドロボーを野放しにしているようなものです。

2012年までは各税務署で個別に不正申告者を呼び出し、指導していた形跡があるといいます。しかし、不法無税族の増殖がやまないので、当局は確定申告開始日前日、ボウフラが湧きだす池に上空から1トンの殺虫剤を投下するような一罰百戒を加えたものと思われます。

「懲役2年、罰金1000万円」

私が知っているのは2013年2月の「逮捕」まで。今回、その後をネットで追跡してみました。判決は同年7月9日。検察は脱税額が2531万円と少ないにもかかわらず、2年の実刑と1000万円の罰金を求刑しました。

国税局の強制調査で検察庁へ告発する基準は「1億円以上の脱税」、実刑の求刑は「3億円程度から」といわれるので、この逮捕劇と求刑は明らかに〝相場〟を越えています。

判決は「懲役1年8か月、執行猶予4年、罰金600万円」。初犯なので執行猶予が付きました。この判決によって、「コソコソと妙なことをすると、痛い目にあう」という風評が広がることを当局は期待したのでしょう。

第4章

「節税」は必ず儲かる投資術

税の知識は金儲けへの早道

お金をノーリスクで儲ける方法はあるでしょうか？　確実な方法があります。それは節税です。

ただ、税務署はその方法を絶対に教えてくれませんから、自分で勉強するか、税の専門家の知恵を借りることになります。

投資は損する可能性が必ずありますが、節税はノーリスクな上に必ず儲かります。節税とは、何もしなければ出ていくお金をせき止める地味な手法ですが、それで得たお金は、商売で儲けたお金と変わりません。お金に色はついていないのです。

私に理解できないのは、スーパーで15円安い大根を買うのに熱心な人が、なぜ税金を安くすることに無関心、無頓着なのかということです。

スーパーの買い物も、節税も「安くする」が共通項。違いは節税の知識は使えば使うほど積み上がって長期にわたって役に立ってくれることです。

お金持ちになりたいなら、株やＦＸを勉強するのも結構ですが、税の知識を蓄えることにも目配りしてください。

世界的な富豪が書いた本の中に「お金持ちになるためには、サラリーマンでも節税できる仕組みを持つこと」とあります。

私は節税の仕組みを「無税装置」と名付けていました。「仕組み」をつくるには、知識が必要です。では、あなたの税の知識はどのレベルですか？　税率や所得控除について、他人に説明できますか？

税金とは、あなたが嫌でも一生付き合っていかねばなりません。不勉強であれば、政府の思うまま、要求されるまま、払う必要のない税金まで一生払い続けることになります。

税金を必要最小限に抑えることは、暮らしを守るために必要な技術です。技術を磨いていけば、裏切りなしの見返りがあります。

税金を安くする３つの技

税金は基礎を勉強するだけで安くなります。税金の勉強は、あなたの努力にきちんと報いてくれるのです。

では、何を勉強すればいいのでしょうか？

簡単です。税金は所得にかかるものなので、所得を減らせば税金は確実に安くなります。とはいえ、単純に労働時間を少なくして所得を減らせば、生活レベルが下がってしまいます。

生活レベルを下げず、所得を減らす方法があるでしょうか？　あります。その方法は次の３つです。

1　所得控除を積み上げる

2　必要経費を積み上げる

3　損益通算を活用する

この３つのうち、ひとつでも使えば節税ができます。合わせ技を使えば、税金はさらに安くなり、行く着く先は「無税の人」の誕生です。

なお、所得とは収入から所得控除や必要経費を除いた後の金額のことで、この金額（課税所得といいます）に税率をかけ、税金を算出します。

では、先の３つの方法について、順に詳しくみていきます。

1　所得控除を積み上げる

控除とは、「差し引くこと」と辞書にあるので、所得控除とは、収入から差し引ける項目のことです。具体的には基礎控除、配偶者控除、扶養控除などがあります。

これらの所得控除を集めて、収入からその合計額を差し引くと課税所得が出ます。それに税率かけて所得税を算出します。所得控除が多いほど、課税所得は少なくなります。

妻がいれば配偶者控除、子どもがいれば扶養控除を収入から差し引けますが、独身の場合は、それらの控除は使えません。

ですから、独身と妻子のある人が同じ収入の場合、課税所得が少ない妻子のある人の方が、所得税は少なくなります。

これは国が納税者の個別事情（妻子の有無、親の扶養状況など）に配慮している結果です。医療費が多くかかった場合には、医療費控除を申告すれば税金が戻ってきます。

税制改正によって所得控除がなくなると、課税所得がその分減らなくなります。たとえば、２０１１年度から「年少扶養控除」がなくなったので、該当する人は増税になりました。

2　必要経費を積み上げる

必要経費とは、利益を上げるために要する経費のことです。たとえば、フリーライターが資料用として書籍を購入した場合、その書籍代は必要経費で報酬から差し引けます。インタビューでコーヒーを飲んだときの喫茶代も必要経費になります。

売り上げや報酬から必要経費を差し引いた金額が「所得」です。となると、所得を少なくするには、必要経費を積み上げていけばいいわけです。

もちろん、無理な積み上げはダメです。税務署から訊かれた際に、きちんと証明できるものだけが必要経費になります。

ですから、証拠となるレシート、領収書は必須ですから忘れずにもらい、保管しましょう。

3　損益通算を活用する

損益通算とは、税法の基本ルールのひとつで、赤字の所得と黒字の所得は相殺することができます。

そして、相殺後の金額から所得控除を引いた金額が課税所得となり、これがマイナスであれば、所得税はゼロ円です。

副業サラリーマンの場合は、すでに天引きされた所得税を納めていますから、その分が全額戻ってきます。

サラリーマンなのに「無税の人」になれるのは、「副業の赤字」を〝テコ〟に使っているからです。

税の世界の「知らぬが仏」

税を知らない人に、税は安くできません。税を知れば、必ずお金持ちになれる保証はありませんが、お金持ちになった人は、税についてしっかり勉強しています。

税に関する知識の有無が、大きな損失につながる例を挙げましょう。

事業で生じた純損失（赤字）は、翌年に繰り越して控除することができます。この優遇策を利用するには、２つの条件があります。

１　期限内に確定申告をする

２　青色申告を申請している

損失申告の確定申告書の書き方は、税務署で教えてくれます。損失申告で繰り越した損失額は、その後3年間、黒字から差し引けます。

この強力な税金対策を知らない自営業の人が大勢います。税務署は「こうしたら得ですよ」とは言ってくれません。

もちろん、税務署は訊いたことには答えてくれますが、税の基本知識がないと、トクを引き寄せる質問や、窮地から抜けだせる質問ができません。

あなたは払わなくてもいい税金を払っていませんか。知識の欠如から、払わなくてもいい税金を払い続けている事実に気がついていないのかもしれません。

まさに「知らぬが仏」なので、納税者の心は平穏です。

税金を最小限に抑える方法は、次の2つです。

1　自分で節税術を勉強する

2　税の専門家に援護射撃を求める

「1」は自力防衛で、「2」は〝傭兵〟を雇う他力防衛。「2」は節税できた分で高い手数料がチャラになり、お釣りがきます。

傭兵にギャラを払いたくない人は、市町村や納税協会などの無料相談を利用しましょう。税務署でも無料相談をやっています。

税は納税者が対策を取らない限り、国の請求書通りに黙って払うしかなく、1円も安くなりません。

税務署は人を見る役所

数字がモノを言うのは金融機関も税務署も同じです。より多く徴税する者が優遇され、上にいけます。

となると、費用対効果で動かざるをえません。小物を追いかけていては、成績は上がらず、後ろから来たものに追い越されてしまいます。

税務署は税に無知な者からは、合法的な範囲で最大限の税を取り、税法に詳しい者からは、その知識量に応じた裁量をします。

これがもっとも効率のよい徴税方法だからです。

税務署の仕事ぶりは、銀行や証券会社の客に対する営業態度と同じです。銀行員は客の知識量を値踏みしながら、売り込む金融商品を考えます。

何も知らない無防備な客には、金融機関がいちばん儲かる商品を勧めます。手ごわい客には、しぶしぶ利益率の低い商品を出します。

客の金融知識を素早く見抜き、それに応じた臨機応変な接客ができる社員が上にいけます。金融機関は客にとって本当に大事なことは教えません。自分たちの儲けをみすみす手の平から落としてしまうからです。

この発想は税務署も同じです。税務署とは、節税法を教えてくれる役所ではありません。

「この方法は使えますか、合法ですか」

と訊けば、答えてくれる役所です。高額納税者が高いカネで税理士を雇うのは、税理士の知識を使うことで税金を安くできるからです。

サラリーマンが税にうといワケ

サラリーマンとは「税金リテラシーが低い種族」といえないでしょうか。でも、そうなるにはワケがあります。

税金に関することは、すべて会社まかせなので、税のことを知る必要がないからです。使わない脳や筋肉はどんどん退化していきます。「税をつかさどる脳」も同じです。ほとんどのサラリーマンは、会社がやってくれる源泉徴収と年末調整という2つの制度で納税関係は完結します。

この2つの制度が、あなたの税に対する関心を奪う元凶です。

国にとって源泉徴収と年末調整は、税金の取りっぱぐれを防ぐベストの仕組みです。言い換えると、サラリーマンに税について目を向けさせないでおく「うまい手」です。

会社は善意やサービスから納税の代行をやっているわけではありません。法律で決められているから仕方なくやっているのです。

サラリーマンの税金への感度を下げ、「生かさぬよう、殺さぬよう」飼い続けることが、国の揺るぎない徴税方針です。会社はその方針の片棒をかつがされています。

国の方針のもと、大多数のサラリーマンは、税に関しては無頓着です。「官製の透明な囲われた柵」の中で定年まで生息し続けます。

サラリーマンが税の知識を蓄え、自身の納税状況を点検すると、これまでの払い過ぎが見つかるでしょう。

払い過ぎた税金は足元に埋まっていますが、国は掘り起こし方を教えてくれません。あなた自身が「税の知識」というスコップで掘り出すしかないのです。

「最強徴税マシーン」とは何か

会社は社員の税金と社会保険料の徴収を無料で代行しています。法律で決まっているから仕方がありません。これが源泉徴収（天引き）です。

1年間の給与、給与所得控除後の金額、所得控除の合計額とその内訳、税額などを記したものが「源泉徴収票」で、年末か年明けに会社から交付されます。

所得税とは個人の所得にかかる税金（会社にかかるのは法人税）で、その徴税方法は2通りあります。

ひとつは自営業者が行う確定申告。これは自営業者が自分で納税額を計算します。サラリーマンが副業を開始すれば、自営業者になるので、所得が20万円超なら確定申告をする必要があります。

ただし、副業の所得が20万円以下で、事業所得ではなく雑所得であれば、確定申告の義務はありません。

もっとも、雑所得には必要経費が計上できるので、確定申告すれば税金が戻ってくる可能性があります。

もうひとつの徴税方法は、給与からの天引き（源泉徴収）です。

国は会社に社員の所得税の計算から納税までの作業を負わせています。この徴税システムによって、サラリーマンには逃げ場がありません。

「10・5・3・1」――「トーゴーサンピン」と読みますが、これは国税庁が課税対象者の所得をどの程度、把握しているかを示す数字です。

10割―サラリーマン、５割―自営業者、３割―農家、１割―政治家、という順になり、サラリーマンは収入の10割、つまりすべてを把握され、それに税金がかけられています。

国は取りやすいところから、まずはしっかりと取り、決して取りこぼさない――これがサラリーマンにすっぽりとかぶせられた「源泉徴収という徴税網」です。

源泉徴収とは、国が汗をかかず、コスト・ゼロで税を徴収する制度です。この制度はナチス・ドイツが安定的に戦費を調達する目的で考案したもので、日本は日中戦争中の１９４０年４月からナチスにならって導入し、現在まで続いています。

源泉徴収をやめて５０００万人のサラリーマンに確定申告を義務づければ、税務署はその仕事量でパンク必至です。確定申告書の未提出や計算ミスも多発するでしょう。

そういう意味からも、国は難なく税金を吸い上げてくれる壮大な徴税マシーン「源泉徴収制度」を決して手放しません。

ほとんどのサラリーマンは、源泉徴収と年末調整によって納税のわずらわしさから解放されました。しかし、税への無関心という副作用が強く出ています。

年末調整という帳尻合わせ

毎年2月16日から3月15日までの1か月間が、確定申告の季節です。確定申告とは、個人事業主が自分で所得税を計算し、国に申告・納税する行為です。

確定申告や税務署と縁がないまま、定年を迎えるサラリーマンも多くいるでしょう。それは、会社が確定申告と同様の効果がある税金の精算作業をやってくれるからです。

会社が行うこの年末の税務作業を「年末調整」といいます。

会社は「年末調整」をサービスでやっているわけではありません。税法に定められているから、仕方なくやっているだけです。

年末調整は、源泉徴収（天引き）とセットになっています。このセットは、国にとっては汗をかかずに徴税できる「夢のような制度」といえます。

では、なぜ年末調整が必要なのでしょうか？　理由は、所得税の徴収方法にあります。

所得税はその年1年間の所得に対して課税されます。当然、1年間の所得は年末まで把握できません。

そのため、年初に「見込み年収」と「見込み所得税」を出します。会社は見込み所得税を12等分した仮の所得税を毎月、給与から天引きします。これが源泉徴収制度です。

このように、所得税は前払いの税金です。一方、住民税は前年の所得に対し課税され、当年6月の給与から天引きされる「後払い」の地方税です。

前年の所得が対象になるため、4月入社の新人社員には住民税の天引きはありません。翌年の6月の給与から、天引きがはじまります。

1年間の「見込み所得税」と、年末に確定する正確な所得税の間に「誤差」が生じた場合に、その誤差の調整作業を「年末調整」といいます。

会社は所得税を納め過ぎた社員には返金、不足分がある社員からは徴収という「調整」をします。

12月に会社からいつもより多めの給与をもらうと、トクをした気分になりますが、これは単に納め過ぎていた税金が戻されただけです。

こうしてその年のサラリーマンの納税は、自身が確定申告をする代わりに、会社が年末調整を行うことで終了します。

年末調整で扱う所得控除

年末調整とは、年末に実施する所得税の確定作業です。作業の中身は、1年間の給与から所得控除を差し引く計算が主になります。

会社がやってくれる「所得控除」とは次のようなもので、あなたに該当する控除があれば、会社に必要な証明書を提出するだけで、あとは何もしなくても減税されます。

ここでは便宜上、会社が扱う所得控除を次の3群にわけました。

A　扶養控除／配偶者控除／配偶者特別控除等

B　社会保険料控除

C　生命保険料控除／個人年金控除／地震保険料控除等

自分で確定申告する所得控除

年末調整ですべての税務処理が完了するわけではありません。会社がノータッチの所得控除があります。

この「ノータッチ」の部分を放っておくと、損する可能性がありますが、自分で確定申告をすれば税金が戻ってきます。

「自分でする確定申告」は義務ではありません。「する・しない」は自由ですが、しない場合には当然、税金の戻りはありません。

面倒だからやらない人、戻ってくるのを知らない人など、人それぞれです。ちなみに、確定申告をする約2221万人（2018年）のうち、その約59％の1305万人が還付申告をしています。

会社が年末調整の際に「所得控除」の対象にしていないのは、次のような控除です。これらの控除が受けられる人は、自身で確定申告すれば税金が戻ってきます。

- **医療費控除**
- **住宅ローン控除**
- **雑損控除**

所得控除の「漏れ」に気づいたら

田舎の母親を扶養控除に入れてなかったり、個人年金保険料の所得控除を忘れていたりなど、年末調整の際に所得控除の申請洩れがあれば、どうすればいいのでしょう？

これらの〝所得控除洩れ〟は、５年前にさかのぼって、自分で確定申告すれば、税金が取り戻せます。５年間とは、還付請求の時効にかからない期間です。

請求の際には、所得控除が受けられることを証明できる書類を提出しなければなりません。申告のやり方と、用意すべき書類は税務署が教えてくれます。

アメリカの税制度をのぞく

日本のサラリーマンの税意識が低いのは、源泉徴収と年末調整が影響している、とはよく言われることです。

アメリカには源泉徴収はありますが、年末調整はありません。それゆえ、アメリカでは、確定申告が義務になっており、自分で1年間の税金の精算を行います。

翌年の4月中旬までに確定申告をしなければならないのですが、税法が日本とは比較にならないほど複雑なため、自分で間違いのない税務申告を行うのが相当に困難といいます。

そのため、会計士や申告書作成代行業者に依頼する人が多くおり、この代行手数料は必要経費で落とせます。

確定申告すると、8割の人が還付金を受け、その平均額は20万円になるといいますから、アメリカ人の税意識が高いのは当然ともいえます。

また、アメリカのサラリーマンは、必要経費が様々に認められているため、これらを積み上げ、税金を取り戻す作業に熱心です。

家族や友人が集まったときに、節税や投資が話題になるのは、「ヘンなこと」ではなく、ごく「フツーのこと」だといいます。

あなたの税知識を簡易テストする

日本のサラリーマンは自分で納税しないので、税への関心が薄いといわれます。例外が消費税で、その引き上げに強く反応するのは、買い物のたびに支払う税だからです。

ここでいきなりですが、あなたの税への関心度をチェックしてみましょう。

現行の消費税率は誰でも知っています。では、「自分の税率」を知っていますか？

所得税の税率は5％から45％まで7段階あり、所得によって上がっていく累進課税です。

仮にあなたの税率が10％なら、儲けの10％を国に納めることになります。住民税は一律10％なので、合わせて課税所得の20％、5分の1を税として納めているのです。税率40％（課税所得１８００万円超～４０００万円以下）の人は、その稼ぎの50％（住民税10％を乗せて）を税金に取られます。つまり1年の半分は、税金のために働いていることになります。

サラリーマンがビットコインなどの仮想通貨で大きな利益を上げた場合、喜びの後に大変な事態が発生します。

仮想通貨の利益は雑所得になり、給与と合算した分に課税されます。課税される所得は所得控除後の金額で、それが４０００万円超になると税率は最高の45％です。

仮想通貨で４０００万円超の儲けを出した場合、住民税の10％を合わせた55％の税金がかかるので、利益の半分以上が税金でもっていかれます。

所得税の計算の仕方

所得が生じるところには所得税が生じ、それは国家に納税しなければなりません。特例が20万円以下の雑所得で、これは確定申告の義務がありません。黙ってポケットに入れてもいいのです。

もっとも20万円以下でも、源泉徴収された税金があれば、確定申告すると還付金を受け取れる可能性があります。

ここでは収入に対し、所得税がいくら取られるか、その計算式を示します。

〈所得税の計算式〉

1　収入－必要経費－各種所得控除＝課税所得金額

2　課税所得金額×税率－控除額＝所得税額

売り上げ（収入）から必要経費と各種所得控除を差し引くと、課税される所得金額がでます。この金額に対応する税率（5％～45％の7段階あり）をかけ、控除額を差し引くと納付すべき所得税になります。

なお、控除額とは、「所得税額の速算表」に記載された金額です。

たとえば、年収700万円（妻と子ども2人）の人の場合で、給与所得控除や各種所得控除を差し引くと、課税所得が260万円になったとします。

「課税金額260万円」は税率10％なので、所得税は「26万円－控除額9万7500円＝16万2500円になります。

総合課税と分離課税

所得は「総合課税」と「分離課税」に大きくグループ分けされます。

「総合課税」とは、給与所得、事業所得、雑所得など、経常的に発生する所得の合算額（総所得金額）に課税することです。

たとえば、副業を持つサラリーマンには、給与所得、不動産所得、事業所得、雑所得（副業収入）などの所得があります。

これらの所得は合算し、その総額が課税対象です。最近話題の仮想通貨は「雑所得」になり、給与所得などと合算し、課税（総合課税）されます。

給与所得700万円の人が仮想通貨で300万円の雑所得を稼げば、総合所得は1

000万円になります。

所得税は累進課税（税率5％～45％）なので、給与所得の700万円だけであれば税率23％のところ、1000万円になったので、税率は33％にアップします。これに10％の住民税が加わります。

他方、「分離課税」とは、他の所得と合算せず、その所得単独で税額を計算する方法で、代表例が退職所得です。

退職所得を他の所得と合算して総合課税扱いにすると、税率が跳ね上がるため、税負担が極端に重くなります。

それを避けるため、独自の控除（退職所得控除という）を設けて単独で課税することになっています。ちなみに、退職金は勤続38年なら、2060万円まで税金ゼロです。

株や投資信託も「分離課税」です。株で儲けても分離課税なので、給与所得と株の利益は別々に課税されます。

別の言い方をすれば、株で大損しても給与所得との損益通算はできないので、給与から天引きされた所得税の還付はありません。

総合課税と損益通算

総合課税とは各種所得を合算し、税額を算出することですが、その際、赤字の所得と黒字の所得は相殺できます。これを「損益通算」といいます。

損益通算できるのは、「事業、不動産、山林、譲渡」の４つの所得だけで、この中に雑所得は入っていません。

ですから、副業が雑所得扱いになると、赤字の雑所得で黒字の給与所得を削ることができないため、「副業の赤字で税金を取り戻す」スキームは成立しません。

損益通算は課税所得を減らせるありがたい制度ですが、各種所得を持つ人にしてみれば、当然ともいえる制度です。

なぜなら1年間の所得は、各種の所得を合算してはじめてわかるからです。赤字と黒字の所得を損益通算すると課税所得が減りますが、実はこれが本当の所得なのです。

損益通算制度とは、1年間の実際の所得に対応した税額を算出する「当然の制度」といえます。

サラリーマンにいちばん効く節税術

所得税は、課税所得に税率をかけて算出します。ということは、所得税を減らす有効手段は、課税所得を減らすことです。

そのためには、「所得控除」を多く集めればいいのです。では、所得控除とは何か。控除とは「差し引く」ことですから、税金を計算する前に、所得から控除額を差し引ける制度です。

所得控除には、基礎控除、扶養控除など様々なものがあります。自分が使える所得控除を集めれば、所得からその分が差し引けるのですから、課税所得は減ります。

節税の基本は、この所得控除の徹底活用です。自分が使える所得控除を見つければ、その控除額に自身の税率をかけると、所得税がいくら安くなるかがわかります。

所得税は、年収から給与所得控除など各種の所得控除の合計を差し引いた残り（課税所得といいます）に税率をかけて算出します。

繰り返しですが、所得控除が多くなれば、課税所得が減り所得税は安くなります。使える所得控除があるのにそれを知らず、「余分に税金」を払っているサラリーマンが多くいます。

たとえば、田舎に住む親が、扶養控除（70歳以上１人につき48万円）の対象なのに所得控除に入れていない人です。少しでも仕送りをするなど扶養の実態があれば、別居していても扶養控除に入れられます。

扶養控除とは、扶養する家族がいる場合、課税前に所得から差し引くことができる「所得控除」ですから、所得税率が10％なら、親１人につき４・８万円、所得税が安くなります。

手続きは「扶養控除異動届」を担当課に提出すれば、年末調整で税金を安くしてくれます。これだけで満足しないでください。

これまで税金を納め過ぎていたのですから、その分を返してもらいましょう。この還付作業は会社はやってくれませんから、自分で税務署に確定申告書を提出します。

還付申告の場合は、確定申告の時期に合わせる必要はありません。いつでも申告書を提出できます。

やり方と必要な書類は、税務署で教えてくれます。請求から5年以前の分は、時効にかかっているため無効ですが、過去5年間の分は取り戻せます。

所得税率10%の人の場合、70歳以上の親なら4・8万円、5年分で24万円の還付になります。

「無税の種」を拾い集める

税金を安くする簡単な手段は、2つあります。

第1は先述した「所得控除」を集めること。これで課税所得を減らせばその分、税金が安くなります。

第2は「非課税の金融商品」の研究です。取られる税金が取られないのですから、非課税分が得になります。

「つみたてNISA」や「iDeCo（イデコ／個人型確定拠出年金）」などの非課税の金融商品が、政府の後押しで市場に出ています。

本来なら利益の約20%が税金として取られますが、これらのものは非課税扱いです。

さらに、確定拠出年金の掛金は、年末調整で全額所得控除扱いになります。

ここで注意点をひとつ。

「つみたてＮＩＳＡ」や「ｉＤｅＣｏ」は、〝入れ物〟です。金融商品の運用者であるあなたが、中に何を入れるかによってリスクの度合いが異なります。

「入れるもの＝金融商品」のラインナップには、高リスクの新興国の投資信託もあれば、低リスクの債券型投資信託もあります。

儲けは非課税ですが、どのように儲けを出すかはあなたの投資判断によります。

公的年金の未来は、限りなく不透明です。68歳支給開始と3割の年金削減などが、現実に国で検討されています。

「公的年金だけに頼らず、自分年金をつくり老後不安は自助努力で払拭してください。儲けは非課税にしますから」

これが政府の本音メッセージです。

先の「税金ゼロの金融商品」と「無税生活」は、手間とコストのかからない強力な生活防衛デバイスになりえます。

この2つを人生設計に組み入れ、長期的スパンで資産形成を図りましょう。特に「無税生活」は、確定申告の前に数時間割くだけで、税金ゼロが実現します。

この作業によって、いったん払った税金が戻ってきます。費用対効果でいえば、最高にコスパがいい作業です。

第5章

「無税の人」になるノウハウ

スゴイ裏技なんかありません

「無税の人」とは、天引きされた税金を確定申告で全額取り戻す人のことです。「そのノウハウを教えます」というセミナーを派手にやって、東京地検特捜部に逮捕されたコンサルタントがいました。

世の中には様々なノウハウ本があふれていますが、基本はシンプルです。

・サッカーがうまくなるノウハウは？　正しい基礎を人の3倍練習してください。
・株で儲けるには？　安いときに買って高くなったら売ってください。
・痩せるノウハウは？　摂取カロリーを抑えて、消費カロリーを増やしてください。

「無税の人」になるのに、特別なノウハウはありません。「これがノウハウです」と声高にいう人はイカサマ師です。その口車に乗せられると違法行為になり、露見すれば手痛いペナルティが待っています。

「無税の人」の実現法はシンプル。税法の基本の所得控除と損益通算を使うだけです。基本を素直に使ったら、「無税の人になれた」――これが私の最初の感想です。

無税になる裏ワザやマル秘の術は存在しません。だから、10年前の拙著『無税入門』に対する税理士諸先生のコメントは、「これはよく知られた手法だ」とみな同じでした。

「お金持ちになれるノウハウ本」を読んだ人すべてが、お金持ちなれるわけではありません。同様に無税希望者が『無税入門』を読むだけでは「無税の人」にはなれません。

「無税の人」になるには、いくつかの目に見えないハードルを跳び越えねばならないからです。では、そのハードルとは何か。

「無税の人」には、本業の他に副業を継続して運営できる人しかなれません。その副業も、利益が出ていない赤字経営の副業です。

拙著のコンセプトは「副業で税金を取り戻せ」です。副業が黒字なら、税金が1円も戻ってこないばかりか、副業分の所得税を払わねばなりません。

副業の赤字と給与所得の黒字を相殺することで、天引き所得税が還付されます。これが「無税の人」になるスキーム（枠組み）です。

副業の種類は問いませんが、一定の売り上げが確保でき（そうでなければ、事業所得の認定がおりない）、そこから必要経費を引くと赤字になる副業を営めるサラリーマンだけが、「無税の人」になれるのです。

要するに、「赤字の副業」を続けられる「ヘンなサラリーマン＝無税の人」といえます。他方、副業が大化けし、税金をいっぱい払うようになり、ついには脱サラ・起業に成功という「夢の展開」もありえます。

人生この先、何が起こるか、それは誰にも読めないのです。

「無税の人」の稼ぐ力

課税所得（年収のうち税金がかかる部分）がゼロ円なら、天引きされた所得税の全額が戻ってきます。

戻ってくる金額は、納めた所得税次第ですから、人によって違います。所得税がゼロ円になれば、本来払うべき住民税もゼロ円になります。

住民税がゼロ円になると非課税世帯になり、市町村の公共サービス（国民健康保険料、教育補助費、市営住宅の家賃など）の負担が、課税世帯より大幅に優遇されます

（巻末付録①参照）。

では、「無税」になると、一体どのくらいの稼ぎになるのか？

この答えは何年間、無税を継続し、その間に所得税がいくら返ってきたか、住民税タダ状態が何年続いたか――この２つの要素から算出できます。

1年や2年だけ「無税の人」であっても、大した金額にはなりません。また、副業が黒字になった年は、所得税は1円も戻ってこないばかりか、黒字分の税金を納めるので、給与と副業のダブル納税となります。

長期間、「無税」を続けるには、課税所得をゼロ円にする「赤字の副業」を長期間、続ける必要があります。

生活を圧迫しない「赤字の副業」を永続的に営めるかどうか、ここがポイントです。

節税は「長期積立貯金」と同じで、地道に長年続けなければ、何百万円という大きな金額には膨らみません。

何十年も（できれば定年まで）、還付金を受け取り続ければ、累積額は１０００万円超も不可能ではないでしょう。ただ、1000万円の中には、本来払うべき住民税も含みます。

繰り返しますが、還付金を長年受け取るには、副業を長年継続することが必須条件です。では、副業を長年継続するコツはなんでしょうか?

簡単です。好きなこと、得意なこと、時流に合ったこと、自分にできること——この「4つのコト」を軸に副業を選択すればいいのです。

最後にもうひとつ、「コト」があります。これは副業開始後の注意事項ですが、頑張り過ぎないコトです。

自分の限界(リミット)を超えると、本業に支障がでたり、健康を害したりする恐れがあります。健康を犠牲にしてまでする副業は存在しません。

「ボチボチ副業、コツコツ節税」

このモットーこそが疲れを溜めず、「無税の人」を長く続けられるコツです。商いは牛のよだれといいます。

粘り強くやっているうちに道が開け、会社もやめられた——そうなればまったく違った展開ですが、万々歳です(巻末付録②参照)。

「無税の人」の実体

私が無税になれたワケを説明します。私のある年の年収は約５００万円でした。そこから次の所得控除（当時）が引かれます。

・給与所得控除　１５４万円
・配偶者控除　38万円
・配偶者特別控除　38万円
・特定扶養控除　１２６万円
・社会保険料控除　59万円
・生命保険料控除　５万円
・基礎控除　38万円
合計　４５８万円

約５００万円から所得控除の合計４５８万円を引くと、残額は42万円となり、これが課税所得（所得税の対象となる所得）です。

課税所得が42万円と少ないのは、子ども2人（特定扶養控除）と妻（配偶者控除と配偶者特別控除）の存在ゆえです。

私が副業をしていないサラリーマンであれば、この42万円に当時の税率10％（2007年からは5％）をかけて所得税を算出します。

独身や子どもがいない人は、所得控除が集まらないので、課税所得が高くなります。もちろん、給与が高い人の課税所得も高くなります。

当時の私はイラスト制作・販売の副業をしていましたから、給与所得と事業所得の2つの所得がありました。

確定申告の際には、2つの所得を合算（損益通算）し、課税所得を算出します。これを総合課税といいます。

まず、私の給与所得は、給与500万円から給与所得控除154万円を引いた346万円です。次に副業の事業所得は、イラストの売り上げが50万円に対し、必要経費が100万円かかったので、50万円の赤字でした。

所得の合計は、損益通算して（346万円－50万円）296万円です。ここから給与所得控除を除いた各種所得控除（先に列挙した計３０４万円）を差し引くと、マイナス８万円になります。

これが２つの所得を持つ私の「真の所得」です。

確定申告書の「課税される所得金額」欄にはゼロ、これに対する税額欄にもゼロと記入します。なお、申告の際の計算や記入のやり方は、申告会場ですべて教えてくれます。

このゼロ円が、〝真の所得税〟ですから、源泉徴収された２つの所得税（給与分と副業のイラスト制作・販売分）は１か月後には還付され、住民税ゼロ円も実現します。

これが「無税の人」と「ブーメラン税金」の実体です。

私は20代から定年まで、確定申告書の納税額の欄にはゼロ円と記入し、給与から天引きされた所得税と、イラストの報酬から天引きされた所得税を受け取ってきました。

「無税の人」の必要経費

私の副業の収入は出版社から支払われる画料で、１割の天引き所得税を引いた９割が銀行口座に振り込まれます。

天引きされた1割は、翌年の確定申告で取り戻せるので、結局収入は画料の100%となります。イラスト事業は、必要経費を差し引くと赤字ですが、私の場合、必要経費は生活費の一部ですから、負担感はありません。

私の仕事場は賃貸の自宅ですが、家賃全額を経費にしていません。仕事場と私用のスペースの割合、1日の使用時間、月の使用頻度などを考慮し、家賃の4割を経費にしています。

もし9割にしていれば、税務署から問い合わせが入ったかもしれません。いや、私のような極小事業主にわざわざ電話し、呼び出して取り調べることはまずしないでしょう。いわゆる「スルー」というヤツです。

自宅で仕事をしているので光熱費、水道費、クルマの燃料費と維持費は4割、イラスト制作のための画材などは10割を経費として計上しました。

私は「無税の人」としておよそ40年間過ごしましたが、残念ながら、イラストレーターとしては大成できませんでした。

イラスト販売は必要経費を引くと常に赤字でしたが、この副業の赤字を使って所得税と住民税がゼロになったのです。

これが「副業で税金を取り戻す」カラクリです。

副業の赤字には2種類ある

副業の本来の目的は、「儲けること」です。しかし、これとは別の目的で副業をする場合があります。

それが「副業の赤字活用」で、ここには税金を減額、できれば無税にする意図があります。副業が赤字になるのは、売り上げを必要経費が上回るからです。ただ、その必要経費が生活費と重なっていれば、赤字経営の痛みは感じなくて済みます。

生活費と経費がダブルとは、自宅と仕事場が共有スペースになっていることなどが該当します。

反対に、必要経費が生活費とダブっておらずに赤字経営となれば、それは「真の赤字」ですから、痛みを感じます。ときには生活が圧迫されます。

「真の赤字」の方が還付金より多ければ、持ち出しになるので、わざわざ副業をする意味がありません。

たとえば、10万円の所得税が戻ってきても、生活費と重ならない30万円の必要経費を使っていれば、真の赤字は20万円です。

翌年の住民税はゼロになりますが、それを計算にいれても、副業を継続する意味はありません。第一、このような赤字経営は長くは続きません。

副業の赤字経営には2種類あります。

1　赤字の原因である必要経費が、生活費と重なっている場合。

もともと生活費として出ていくお金なので、赤字の痛みはない。

2　必要経費が生活費と重なっていない場合。

重なっていない部分の金額が還付金を上回ると、利益はゼロ、もしくは持ち出しになる。これでは副業する意味が失われます。

「副業で税金を取り戻す」というスキームが成り立つのは、「1」の場合です。赤字決算ですから儲けはゼロですが、次の3つのメリットを享受できます。

- **事業所得として認定されるレベルの売り上げをキープすればいいので仕事がラク。**
- **納付した所得税が戻る。**

・住民税ゼロなので、非課税世帯になれる。

以上を考えると、副業は赤字ですが、売り上げと還付金が手に入るので、トータルでみれば黒字で採算はとれています。

架空の副業から生じる架空の必要経費を使って架空の事業所得の赤字をつくりだし、給与所得を相殺すれば、還付される所得税は丸儲けです。

いっとき、不良無税族が架空づくしの確定申告を提出し、還付金をかすめ取る行為が頻発し、見せしめの逮捕者まで出しました。

もちろん、これは詐欺ですから露見すれば追徴金が課せられ、悪質なら刑事罰を受けることもありえます。

私のイラスト販売では、必要経費はほぼ生活費と重なったので、「赤字経営」が長年続けられたのです。

費用対効果のセオリーから、税務署は極小の個人事業主の確定申告書はスルー（見ないか見たふり）する確率が極めて高いといわれています。

でも、本当のところはわかりません。あなたの申告書がスルーされるという確証はないのです。

青色申告特別控除は使えない

青色申告者の特典は特別控除の65万円ですが、事業所得が赤字の場合、この特典は使えません。

また、黒字の場合でも、事業所得が65万円を超えず40万円なら、特別控除は65万円ではなく40万円になります。

「40万円－65万円＝－25万円」にはならないのです。翌年の繰越欠損もできません。繰り返すと、青色申告特別控除は、黒字のときしか使えないのです。

なぜなら、事業が赤字の場合は、そもそも所得税は取られないので、特別控除を使う余地がないからです。

赤字の副業を経営する「無税の人」が、経理の複雑な青色申告を選ぶのはナンセンスです。

事業が黒字になるとき、それは「無税の人」を卒業するときですが、そのときに青色申告に切り替えればいいのです。

青色申告特別控除の考え方は、住宅ローン控除の場合と同じです。

住宅取得のためにローンを組むと、ローンの借入残高の1％が税金から控除されますが、支払った税金以上の控除はありません。

ローン残高3000万円なら、その1％の30万円の控除になりますが、10万円しか納税していなければ、控除は当然10万円です。

損益通算は最強の節税制度

法律は正義の味方ではありません。あくまでも中立です。ときには助けにもなり、ときには壁にもなります。

また法律は社会を円滑にする道具です。その道具がつくる制度を味方にするには、制度の機能をよく知らねばなりません。

最強の節税制度は損益通算です。ここでは、副業の所得が事業所得として認定されていることを前提に話を進めていきます。

サラリーマン兼個人事業主の節税術の巧拙は、次の2つの使い方でわかります。

Ⅰ 損益通算

2 損失の3年間の繰り越し（青色申告者に限定）

損益通算ができる所得の〝東西の横綱〟は、事業所得と不動産所得です。この点に着目したサラリーマンが副業（事業所得）や、賃貸アパート経営（不動産所得）をするのです。

赤字の事業所得と黒字の給与所得を合算（損益通算）し、源泉徴収された税金を取り戻す〝無税作戦〟がうまくいくのは、給与年収800万円位まででしょう。

給与が800万円を超えると、所得控除と必要経費を多く集められる人でなければ、課税所得が残ってしまうからです。

「無税の人」を継続するために、必要経費を無理に計上し副業の赤字を膨らませることはアブナイ行為です。

その点、不動産所得の場合は、支払金利、各種手数料、減価償却費、物件の下見を兼ねた旅行など、多くの必要経費を容易に計上できるので、「無税の人」になりやすいといえます。

副業を持つサラリーマンの納税は、総合課税方式です。給与所得、不動産所得、事業所得など、性質の異なる所得と合算（総合課税）して税額を計算します。

事業所得が赤字の場合は、確定申告の際に給与所得の黒字と相殺します。ただし、恒常的に売り上げが少なく赤字が続くと、税務署は事業所得として認めなくなる恐れがあります。

外形的に「事業」には見えないからです。還付申告狙いの副業と判断されるかもしれません。

事業所得を否認されるリスクを避けるには、すれすれでも事業と認められる売り上げ（基準値はあいまいです）を確保することが重要です。私の場合、年に50～１００万円程度の売り上げで事業として認められていました。

損益通算は青色申告者だけの特典ではありません。簡単な決算書で済む白色申告者も使えます。

事業所得が赤字の「無税の人」は、青色申告特別控除の65万円が使えないので、面倒な経理処理を避けられる白色申告で気楽にやればいいのです。

分離課税の損益通算

株式や不動産の売却から生じた譲渡所得は、給与所得と損益通算できません。株で大損しても、給与所得と相殺できないので還付金はなしです。

株やFXなどの損失は、それぞれの利益や損失とのみ、相殺（損益通算）ができる分離課税扱いです。

たとえば、損が出た株式と利益が出た投資信託を、確定申告の際に損益通算すれば、利益（黒字）の圧縮（つまり節税）ができます。

それでもまだ損失が残るなら、翌年から3年間の繰り越しが可能です。こういうことは、税法を知らないと損を垂れ流すことになります。

なお、株売買の利益にかかる税率は一律、利益の20・315％です。

賃貸マンションなどの家賃収入のことを、不動産所得といいます。他方、土地や不動産を売却して得た所得は譲渡所得になります。

不動産を売って損失が生じた場合は、他の所得とは合算せず、単独で課税されます（分離課税）。たとえば、自宅の売却で損失が出ても（譲渡損失）、給与所得と相殺して節税することはできません。

ただし、所有期間が5年超のマイホームを売却して損失が出た場合は、事業所得や給与所得との損益通算が可能です。

売却を急ぐ理由がないなら、5年以上住んでからがお得です。「売る前に何年住んだかな」と考えてみましょう。

なお、損益通算を行っても控除しきれない損失額については、譲渡の年の翌年以後3年間にわたり、給与所得から繰り越して控除することができます。

この繰り越しの特典は、マイホームを住宅ローンの残高を下回る価額で売却して損失（譲渡損失）が生じた場合に限られます。

第6章

雑所得と事業所得の分類学

「継続性」はあるのか

安倍前首相は2006年、著書の『美しい国へ』（文春新書）が売れ、「雑所得」として2616万円を申告しました。議員歳費などの「給与所得」は約3003万円でした。

同年の石原都知事（当時）の「事業所得」（著述業）は約1429万円でした。一般的に、政治家の印税、TV出演料、講演料などは雑所得になり、石原氏のような作家兼政治家の印税は事業所得に分類されます。

同じ政治家の印税収入なのに所得区分が違うのは、「継続性」の有無で分類しているからです。安倍前首相の著述活動には「継続性」はなく、石原氏には「ある」ということです。

継続性についてはサラリーマンの場合も同じで、サラリーマン兼写真家が、継続して写真を販売し報酬を得ていれば、その報酬は「事業所得」です。

一方、趣味の写真を投稿し、たまたま得た報酬は「雑所得」になります。年間20万円以下の雑所得は、確定申告が不要ですが、事業所得の場合は、20万円以下であっても申告の必要があります。

サラリーマンの副業に継続性がないとみなされると、税務署から「事業所得として申告していますが、実態は雑所得ですね」と訂正を要求されます。

運が悪いと、3年前までさかのぼって追徴されるかもしれません。税法上は7年前までさかのぼれますが、そこまでえげつなくはないでしょう。

追徴されても、市町村から非課税世帯として受けていた〝恩恵分〟まで返せ、という処分はありません。税務署が通報しないからと思われます。

話を戻すと、「継続性なし→事業性なし」――これが副業の所得が雑所得に分類されるオーソドックスな考え方です。

では、サラリーマンが継続性なくやっている副業を専業主婦がやればどうなるのか？

誰がやろうと、「継続性」がなければ雑所得です。

専業主婦の経営する事業に継続性があり、収益も上がっていれば、事業所得と認定される可能性があります。

なお、パートなどで雇用主から給与をもらっている場合には、給与所得に該当します。

また、次のようにも考えられます。

本格的　↓　事業所得
片手間　↓　雑所得

本格的な事業活動でなければ、雑所得と捉えられているのです。

副業と本業の所得

サラリーマンが副業から得る所得は「事業所得」、または「雑所得」に分類されます。どちらに分類されるかは、「副業の実態」で判断します。

ここでいう実態とは「継続性」と「収益性」があるかどうかです。

副業に「継続性」があれば、事業所得に区分される可能性が高くなり、さらに一定の収益を上げていれば、「事業所得」に認定される可能性はより高まります。

もうひとつ、分類法があります。

本業の所得は「事業所得」、副業の所得は「雑所得」というもので、大変わかりやすいのですが、これではあまりに大ざっぱ過ぎます。

この分類法でいけば、サラリーマンの副業は雑所得になりますが、その所得が継続性と収益性を有していれば、事業所得になることもあるからです。

執筆や講演が本業でないサラリーマンが臨時にもらう原稿料や講演料は、雑所得になります。「臨時」の所得ですから、継続性と収益性がないので雑所得に分類されるのです。

ところが、公的年金は揺るぎない継続性がありますが、雑所得に分類されています。「事業性」がないから、収益が上がらないということなのか。ここら辺が、素人にはよくわからないところです。

株や不動産の売買による所得は譲渡所得ですが、仮想通貨やＦＸの売買益は、雑所得です。その理由は、給与収入とＦＸによる収入を比較すると、ＦＸによる収入は、給与収入より継続性と安定性に欠ける点から、申告分離課税の「雑所得」になるというのです。

雑所得とは10種類の所得のうち、どれにも区分できない所得のことです。だから、雑貨店というように、アタマに「雑」がついているのでしょう。

雑所得は大別すると、次の3種類になります。

- **公的年金など**
- **先物取引、FXなど**
- **その他の雑所得**

事業活動による所得は「事業所得」になりますから、副業が「事業」に様態変化すれば、事業所得になります。

ただ、税法にはその「事業」の定義が、明確には定められていないのです。

雑所得と事業所得の境目

税法には雑所得と事業所得を区分する明確な境界線の記述がありません。本業だから事業所得、副業だから雑所得と思っていると、そうならないことがあります。

なぜなら、2つの所得を区分する境目が、税法にハッキリと書かれていないからです。事業についての定義も書かれていません。

いくら以上の売り上げがあれば事業所得になり、それ以下なら雑所得になる、と明文化されていれば、間違いは生じないはずです。

1日何時間以上働けばいいのか、事務所は必要なのかなど、事業所得の認定条件が税法には明示されておらず、これが混乱の元凶になっています。

事業所得と雑所得の線引きが明確でないため、訴訟になることがあります。ある判例では、「反復（繰り返し）、継続（ずっと行う）、独立（どこにも属さず）」の3点がそろっていれば、事業であるとしています。

たとえば、店舗を構えた小売業は反復・継続性があり、「事業」ですが、家にある不用品をネットで1回販売しても反復・継続性に欠けるため、「事業」とはみなされません。

副業をはじめた頃は、継続できるかどうかわかりません。その場合は、継続の見込みがたった時点で事業となります。

独立とは、どのような組織にも属していない状態をいいます。サラリーマンは、会社という組織に属しているので「独立性」がないため、個人事業主ではありません。ただ、サラリーマンが行う副業に継続性や独立性があれば、個人事業主となります。会社との雇用契約を破棄（つまり退職）し、仕事を請け負うようになれば、独立性がある個人事業主になり、その稼ぎは給与所得ではなく事業所得です。

内職は雇用契約をせずに仕事を受けているので、「独立」しています。これを反復・継続していれば、事業とみなされます。

副業が「反復・継続・独立」の3点条件を満たせば、その所得は事業所得として申告できます。ただし、売り上げのない状態が続けば、税務署は事業所得として認めなくなるでしょう。

なお、サラリーマンが飲食店やコンビニのアルバイトで得た収入は、経営者から支給される賃金なので「給与所得」です。一方、飲食店の経営で得た所得は「事業所得」になります。

税務署の指導によって事業所得が雑所得に変更されると、次の3点で不利になります。

1　給与所得との損益通算ができなくなる。
2　青色申告が使えないので、「青色申告特別控除」の65万円が使えない。
3　雑所得の経費は狭い範囲のものしか計上できない（事業所得の場合は事業に関連するすべてが経費として計上できる）。

副業の所得が「事業所得」から「雑所得」に〝格下げ〟されると、これら3つの〝節税のツール〟を奪われるので、節税力が極端に落ちます。

収益だけで判断できるのか

副業をはじめた頃は、赤字でも仕方がないでしょう。ただ、「事業所得」として確定申告すると、税務署から「黒字になってからにしてくれ」と指導される可能性があります。

雑所得、事業所得にかかわらず、所得（収入－経費）が20万円超であれば、確定申告が必要です。

売り上げが少ないときは雑所得で、売上げが上がり、事業の継続の見込みが立てば事業所得にするというのが、税務署から文句のでない無難なやり方です。
たとえば、ブログの広告収入が、小遣い稼ぎ程度であれば雑所得、ブロガーとして活躍し、それなりの収入を上げていれば事業所得になります。

雑所得と事業所得の境目があいまいなため、「境界」の線引きが税務署員によって違う場合があります。

ゆるい署員に当たると、事業所得に認定してくれてトクですが、ずっとその人が担当する保証はありません。

税務署員に事業所得を否認された場合、そのことで論戦するのは疲れるだけですから、避けるのが賢明です。ここはすっと引きさがり、論戦のエネルギーを売り上げの伸展に振り替えましょう。

ある節税本に「所得が数百万円程度に達して、それのみで生活できる規模になったら、事業所得の確定申告を検討してみよう」という記述があり、あまりの謙虚さに驚きました。こんな「完ぺきな人」になる必要はありません。

年に50万円程度の売り上げがでれば、試しに事業所得で申告してみればいいのです。せっかく、国税局が境目をあいまいにしているのですから、そこに便乗しない手はないでしょう。

〝ダメ元〟の精神で申告したところ、「話を聞かせてくれ」と税務署がいってきたら、向こうの質問に自分の考えを淡々と述べればいいだけです。

「食えない」は判断材料か

生計が維持できるレベルの所得の場合、それが副業の所得であっても事業所得になります。では、生計が維持できない所得の場合は、雑所得になるのでしょうか？

一般的に、副業をはじめてからすぐは、生計が維持できるレベルの収益が上がるとは考えにくいものです。

ですから、税務署員によっては、しばらくは様子見ということで、事業所得に認定してくれることもありえます。

一方で「売り上げが少ない間は雑所得、黒字になったら事業所得で申告して」と指導する税務署員もいます。この手の署員が大勢でしょうが、裁量は人それぞれです。

「食えるなら事業所得」「食えないなら雑所得」というのは、とてもわかりやすい〝物差し〟です。

だから、「こんな少額でどうやって食べているの、これは雑所得ですよ」と税務署員に指摘されることがよくあります。

「本業では食えないので、生活は実家に依存しています」

こう答えた個人事業主は、事業所得として確定申告していますが、当局からの問い合わせは今のところありません。

それは申告書に問題がないからではなく、税務署が中身を判断せずスルーしているからかもしれません。

税法によると、事業所得かどうかの判断は収益ではしません。なぜなら、収益は「結果」に過ぎず、結果（つまり収益）は年によって変化し、不安定だからです。

事業所得かどうかの判断で重要なのは、「事業の実態」であって、売り上げや利益の多少は二の次というのが税法の精神です。

「実家に生計依存して」いるレベルの所得でも、その事業に「継続性」という「実態」

があるなら、事業所得として認定される可能性があります。

では、サラリーマンが「本業はイラスト描きだが、それだけでは食えないので仕方なく副業としてサラリーマンをやっている」と主張すればどうでしょうか。

サラリーマンのイラスト描きの所得が、事業所得か雑所得かは、税務署員によって判断がわかれます。

年間の売り上げがゼロではムリですが、50万円～100万円程度の売り上げの場合は、「食えていない」という理由で、「事業所得の申請」を否認されるのでしょうか。

必ずしもそうとは限りません。なぜなら、芸術系の副業は特殊だからです。特殊なものには、例外を認めやすく、そこに継続性が付加されれば、当局も認可する余地が生じます。

他方、物品販売を副業にするサラリーマンが、「うちのネットショップの売り上げは少ないですが、24時間営業しています。事業の実態はあります」と事業所得を赤字申告してきたら、どうでしょうか。

「事業が赤字になるような〝売れない商品〟をなぜ長年扱っているのか。単なる税逃れ、還付金狙いだろう。過去の申告書もチェックしようかね」

と税務署に突っぱねられるでしょう。

事業の実態と社会通念

事業所得として認定されるには、事業としての「実態」を持っていなければなりません。

では、「事業の実態」とはどういうものでしょうか。税務署の電話相談員はこのように答えました。

「事業活動が社会通念上、事業と認められるかどうかですね」

税の世界でよく使われる「社会通念上」というコトバがでました。平たく言えば、「世間の常識」でしょうか。

「社会通念上でいうところの具体的な中身はなんですか?」

サラリーマンが訊きました。

「誰が見ても〈これは事業だ〉といえるような事業です。個々のケースについて社会通念上の事業に当たるかどうかを判断します」

「誰がそれを判断するのですか？」

「まず税務署長が判断します」

「その判断に納得がいかなければどうなりますか？」

「国税不服審判所の審判官が判断します」

「それでも納得できなければ…」

「裁判手続きに移行し、裁判官が判断します」

「サラリーマン兼イラスト描きの赤字の所得が、事業所得として否認されたという裁判例はありますか？」

「すぐにはお答えしかねます」

サラリーマンは自身で調べてみた。判例は見つかりませんでした。国を相手に訴訟まで起こしたサラリーマン兼イラスト描きがいなかったのでしょう。

判例を調べていく過程で、裁判所に社会通念上の事業であることを認めさせるには、次の5つの原則を満たす必要があることがわかりました。

Ⅰ　営利性　営利を目的とすること

2　反復・継続性　事業が継続的に行われること
3　独立性　本人の責任において事業を計画・遂行すること
4　客観性　事業に必要な人的・物的設備を備え、関係官庁への届出、帳簿の備え付け、取引先の規模など、事業としての客観性を備えていること
5　可能性　相当程度の期間、継続して収益を上げ得るだけの可能性を持っていること

最大のハードルは「5　可能性」でしょう。「可能性」の判断には、多分に判定者の主観が入り込む余地があるように思われます。

「誰にも負けない〝志〟を抱き、自身の〝可能性〟を信じ精進しています」

サラリーマン兼イラストレーターがこう主張した場合、税務署はイラスト販売を事業所得に認定するか否認するか、それはわかりません。

判例を渉猟（しょうりょう）しているときに、こんなモノを見つけました。

「事業所得における〈事業〉であるためには、その納税者にとって、本来の職業として、生計維持の唯一のもしくは最大の手段であることを必要としない」
（昭和50年6月23日　和歌山地裁）

大阪高裁でも維持されたこの判決は、サラリーマンの副業であっても「事業所得」になりうることを示しています。それも生計維持は条件として必要ないのです。

とはいえ、この判決を〝錦の御旗〟のように振り回し、税務署員を言い負かそうとする行為は感心しません。目を付けられるだけですから。

メインとサブで分類する

多くのサラリーマンは、会社勤めを「メイン（主）」、副業を「サブ（従）」と位置付けていると思います。

そして、メインの仕事が給与所得、サブの副業が雑所得というのが一般的でしょう。

給与所得が副業の所得より多く、生計維持も給与所得に依（よ）っているのであれば、「副業＝雑所得」になるのは当然といえます。

これが逆になって、副業の収入が本業の給与より多ければ、副業の所得が事業所得に認定される可能性が出てきます。

さらに副業に継続性があれば、ほぼ確実に事業所得に認定されるでしょう。つまり、副業の所得の「分類」には、所得の多寡が大いに影響するといえるでしょう。

ただし、どの程度の所得であれば、事業所得として認定されるのか、その基準は明示されていません。

サラリーマンと自営業者

サラリーマンの副業収入は、「継続性」があっても雑所得扱いがほとんどです。ただ、大きな収益が上がるようになると、事業所得に認定されます。

他方、フリーランスや自営業者の収入は、「単発性」かつ「少額」であっても、多くが事業所得になります。

つまり、所得の分類は「継続性」や「単発性」ではなく、どのような職業の人がその所得を発生させているのかによって判断されます。

「サラリーマン＝雑所得」「自営業者＝事業所得」――大まかには、こう分類されていますが、なにしろ基準が不明瞭なため、いつも境界線は揺らいでいます。

なお、自営業者が毎月の報酬を給与（給与明細を受理）の形でもらっていれば、それは給与所得になり、事業所得ではありません。「自営業者の所得＝事業所得」とは、必ずしもいえないのです。

しかし、同じ報酬を出来高払い（支払調書の受理）で受け取れば、「事業所得」になります。つまり、この場合の所得の分類は、賃金の支払方法によって決まります。

サラリーマンが副業の賃金を給与でもらうと給与所得になり、本業と合わせて２つの事業所から給与をもらっていることになるので、確定申告が必要になります。

「あいまい」な部分を残したワケ

国税庁は雑所得と事業所得の線引きをクリアにしていません。いろいろのケースがあってクリアにできなのか、あえてしないのか、そこは不明です。

たとえば、アルバイトをしている芸人は山のようにいます。彼らのアルバイト料や出演料は、事業所得なのか雑所得なのか。

私の記事が載った雑誌「セオリー 6」（2008年11月）の中で、大村大次郎氏はこう語っています。

「基準をクリアにせず、あいまいにしておく方が都合がいい。裁判にでもなれば、基準を明らかにしなきゃいけなくなる。

そういう意味では、グレーゾーンについて下手に騒ぎ立てるより、あえて踏み込まないという結論になりやすい」

大村氏のこの発言から12年が経ちました。当局はあいまいさを残したまま、打った対策は、「見せしめ逮捕」だけです。

2013年、確定申告がはじまる前日、東京地検特捜部が経営コンサルタントを逮捕するという事件が起こりました。

架空の副業から生じる事業所得の赤字を記載した虚偽の確定申告書の作成・提出にかかわった男をテレビカメラの前で逮捕したのです。

連行される男の姿は、損益通算を悪用するサラリーマン無税族への警告だったと思われます。

さらに2年後の2015年2月16日、確定申告開始の当日、名古屋国税局は、会社代表の男（47）を名古屋地検に告発しました。

１０００万円に満たない事件が刑事告発されるのは異例で、罪状は先の経営コンサルタントと同じでした。虚偽の赤字を積み上げ、還付申告をかすめ取ろうとする輩に対する警告でした。

２つの事件から、国税当局の意図は明白です。

税法は社会情勢や時代の要請に合わせて改正されます。たとえば、損益通算が認められていたゴルフ会員権の売却損は、２０１４（平成26）年４月から認められなくなりました。

昨今はネット・ビジネスが隆盛になり、事業形態が複雑化していますが、当局はいまだに事業所得と雑所得の境界線をクリアにしていません。

クリアにしてこなかったのは、あえてそうしているわけで、その方が国税庁にとって都合がいいからでしょう。不都合があるなら、変更しているはずだからです。

ここは、境界線のあいまいさを逆手に取りましょう。

「あいまい＝決め手に欠ける」のですから、副業の所得を事業所得と自己判断して確定申告してみるのです。

それが不適正であるなら、税務署から問い合わせがきます。対応はそのときでも遅くありません。

いきなり問答無用の処罰にはなりません。せいぜい確定申告のやり直し、つまり「今回は雑所得にしてはどうか」と持ちかけられるレベルです。

そのうち、税法が改正され、「あいまい」部分がクリアになるかもしれません。そうなると、「ギリギリの事業所得」を狙った確定申告はできなくなります。

第7章

「無税の人」になる手順

副業には何を選ぶか

合法的かつ簡単に「無税の人」になる道順をこれから説明します。まず副業を持たねばなりません。幸い、状況は追い風です。2018年は「副業解禁元年」と言われています。

では、副業に何を選べばいいのか？　選択のカギは次の3点に尽きます。

- **本業を圧迫しないもの**
- **本業に悪影響を与えないもの**
- **長く続けられるもの**

大事なのは、副業をいかに長く続けるかです。これが「継続性」というもので、副業が頓挫すれば、「無税の人」もそこで終わります。

なぜなら、「無税の人」とは、「副業の赤字」を使うことで成立するコンセプトだからです。

副業を選ぶ上で、5つの「ダメなもの」を列記します。これらはすべて本業の足を引っ張る副業で、そういうものを選ぶと、副業だけではなく、あなた自身も〝おかしくなる〃危険性があります。

- **初期投資が多くかかるもの**
- **時間と手間がかかるもの**
- **仕入れと在庫管理が面倒なもの**
- **販売後のフォローが大変なもの**
- **「自宅のネットで手軽に」のような胡散臭いもの**

副業をやる上での第一の心得は、頑張り過ぎて無理をしないことです。無理は長くは続きません。極限まで引っ張られたゴムひもは、いつか必ず切れます。

頑張り過ぎたあなたの心身もいつか壊れてしまうでしょう。その事態が会社や上司、同僚に迷惑をかけることにつながります。

５分で終了！　開業届の提出

「無税の人」になるための手続きの第一は、住所地管轄（電話で教えてくれます）の「税務署」に事業（副業）内容を届けることです。

税務署に行くのは、はじめての人も多いと思います。ハンコを忘れずに持っていきましょう。「警察署」同様、「署」がつくとちょっと身構えてしまいますが、働いている人は「フツーのお役人」です。気軽に入りましょう。

税務署ですることは、開業届（書類1枚）を出すだけです。正式名は「個人事業の開廃業届出書」といいます。

開業届を提出することで、個人事業主として、申告・納税することを税務署に宣言する形になります。

税務署は〝新規のお客さん〟の事業内容を容易に把握でき、課税の網をすっぽりかけられるので、開業届は大歓迎です。

税を納める気のない闇企業は、開業届を出しません。

開業届は税務署でもらえます。入口付近に書類ケースの棚があって、その中に入っている場合もあります。

開業届には住所、職種、屋号、開業日などを記入します。5分もあればその場で記入できますが、屋号はあらかじめ考えておきましょう。別に書かなくてもかまいません。

業種に「YouTuber」と書いても問題ありません。税務署は受理するだけで、審査は特になく、これですべて終了です。

開業届の提出期限は原則として、開業後1か月以内です。郵送でも受け付けてくれますから、会社を休む必要はありません。

開業届は国税庁のホームページからダウンロードもできます。ダウンロードした届を提出する場合は、2枚記入し1枚は控えにします。ネットには無料の作成ソフトも載っています。

なお、青色申告の特典を受けたい人は、青色申告承認申請書を提出します。期限は開業した年は開業日から2か月以内です。開業届と同時に出すと手間が一度で済みます。

すでに開業している場合は、青色申告をする年の3月15日までが提出期限です。節税面から青色申告をするのが一般的ですが、「無税の人」を狙うなら、白色申告で十分です。

開業届は出さなくても罰則はありません。出さなくても事業は開始できますし、事業の運営に差し障りもありません。ただ、提出する方が次の4点でトクです。

1　事業経費の算出は、開業届に記載した開業日からになります。

2　青色申告者には65万円の特別控除が受けられるなど、様々な特典があります。特典を受けるには、開業届の提出は必須です。

3　翌年から確定申告の書類を郵送してくれます。

4　屋号で銀行口座がつくれます。

開業届や青色申告承認申請書を提出したからといって、副業収入が事業所得として自動的に認められるわけではありません。

2009年にマガジンハウスの編集部が、拙稿につけた大見出しは「開業届を出せば、大幅に節税できる！」――コトはこんなに簡単には運びません。

副業収入が事業所得に該当するかどうかは、副業の実態、つまり収入規模、継続性、費やす時間などから、税務署が総合的に判断します。

サラリーマンが、趣味や片手間から得ているわずかな収入を事業所得として確定申告しても、認定してもらうのは難しいでしょう。

「事業所得として確定申告していますが、雑所得の方が妥当ですね」と税務署から言われたら、その主張をひっくり返せるだけの反証を出せるかどうかがポイントになります。

即座に動きだす「無税装置」

無税のスキーム（枠組み）は、赤字の事業所得と黒字の給与所得を相殺し、源泉徴収された所得税を返してもらうというものです。

事業（副業）が赤字であれば、青色申告の特別控除の65万円が使えないので、確定申告は経理処理の簡単な白色申告で十分です。

白色申告は２０１４年から記帳が義務化されましたが、簡易な帳簿付けだけでよいことになっています。

事業がうまく回りだし、収益がどんどん出るようになり、青色申告の特典を使って必要経費を積み上げたくなったときが、青色に切り替えるタイミングです。

青色申告の手続きは、確定申告の際に同時にできます。２０２１年の確定申告期間の3月15日までに手続きをすれば、２０２１年分から青色申告できます。

青色申告には複式簿記が必須ですが、会計ソフトを使えば、自動的に記帳ができるので、思いのほか労力と能力はいらないといわれています。

節税のカギは必要経費

必要経費とは、事業で収益を上げるのに「必要な経費」のことです。サラリーマンにも国が定めた「給与所得控除」という経費が認められており、給与のおよそ3割です。

サラリーマンが営む副業の必要経費は、レシートなどの物証で仕事関連という根拠を示せるなら、広い範囲で認められています。

副業がフリーライターであれば、書くために要する一切の費用——パソコン、資料代、コピー代、取材先までの交通費、打ち合わせのための飲食代（領収書はいる）などを計上できます。

自動車税（走行距離や使用頻度で仕事用と私用に按分する）、領収書に貼った収入印紙代など、税金も必要経費になります。ただし、所得税、相続税、住民税は、経費計上できません。

仕事を手伝ってもらったときのお礼の賃金も必要経費にできますから、相手に領収書を書いてもらいましょう。

売り上げから必要経費を引いた金額が課税所得で、この金額に対応する税率をかけると税額が出ます。計算式は、次のようになります。

（収入－経費）×税率＝個人事業主の所得税

この計算式でわかるように、売り上げが同じなら、必要経費がいちばん多くかかった人の課税所得がいちばん少なくなるので、税金もいちばん少なくなります。

節税の最強かつ簡単な方法は、レシートなどの証拠物を付けて、必要経費を積み上げることです。当然ですが、友だち、知人からレシートを調達するのは、違法行為です。参考までにいうと、時効は5年です。

何が必要経費になるのか

事業に関する必要経費はザックリいうと、仕事に関連するすべてです。ただし、税務署から問い合わせがあったときに、その根拠をきちんと説明でき、同時に証拠を示せることが条件です。

当然ですが、あらゆる領収書が経費で落ちるわけではありません。経費で落ちるレシートと落ちないレシートがあるのです。

「落ちないレシート」が混在していることが発覚すると、税務署はあらゆるレシートに疑惑の目を向けます。

担当者の追及に対し、理の通った説明ができないと、「あまり調子に乗るなよ」と追徴金というお灸をすえられるかもしれません。

では、どのように必要経費を計上すればいいのでしょう?

経費計上するかどうか、強く迷うものは外し、軽く逡巡(しゅんじゅん)するものは入れる、といった「自分なりの選別基準」をつくっていれば、作業がスイスイはかどります。

税務署に「これは経費として認められない」と突っぱねられれば、そのときに外せばいいのです。

「なぜこれが経費なの?」と訊かれて、「わかりません」は最悪の答え。一気に「いい加減な経費計上をしている」と税務署に不審に思われ、すべての経費に疑いの網がかけられてしまいます。

経費になるかどうかの「すれすれレシート」を扱うポイントは、税務署に説明できるかどうかで判断しましょう。

たとえば、顧客宛の年賀状。「新年のあいさつ用なので、経費になると考えました」——この説明が通らなければ、ハズせばいいだけで見解の相違で済みます。

必要経費として計上するには証拠がいるので、レシートや領収書などは忘れずにもらって保管しておかねばなりません。

とにかく仕事でお金を使えば、領収書かレシートをもらうクセをつけましょう。領収書やレシートは〝金券〟と同じです。「経費」になれば、税金が減るからです。

鉄道、バス、地下鉄などの交通費は、日付、交通機関、目的、金額などをパソコンやノートで一括管理すれば証拠になります。

ＳｕｉｃａなどＩＣ乗車券の利用履歴を印字したものでもＯＫです。

なお、10万円以上のクルマ、パソコンなどは、購入年に一括して必要経費として落とせません。後述しますが、減価償却という方法で、毎年分割して必要経費として落としていきます。

交際費は青天井か？

個人事業主やフリーランサーの接待交際費には上限がありません。ズバリ使い放題、天井が外れているのです。

サラリーマンの場合も、副業関連の交際費は限度額ナシです。交際費全額が、収入から差し引ける経費になります。

接待交際費が持つイメージから、税務署の認定基準がキビシイのではないか、「派手に使うと目をつけられる」など、交際費を自分なりに勝手に解釈し、あまり使わないよう抑制している個人事業主が多いといいます。

それは認識不足から来る大いなる誤解です。

使った交際費について、クリアな説明（事業の運営上の根拠）と支出した証拠（領収書など）の2点を明示できるなら、税務署から「多過ぎる」と否認されることはありません。

取引先との情報交換のために参加する会合費や、円滑な人間関係構築のためのレストランでのアルコールを含む飲食費など、仕事上の交際費なら、気後れせずすべて計上しましょう。

なお、法人（会社）の場合は、原則として交際費は経費にできません。例外は資本金1億円以下の中小企業で、８００万円までが交際費として認められています。

仕事用と私用の按分法

仕事場を借りていれば、そこから発生する家賃、光熱費などは、言うまでもなく全額必要経費になります。

問題は自宅が仕事場を兼ねている場合です。家事用と事業用の経費が一体となって支出される経費を家事関連費といいます。

たとえば、家賃、光熱費などは、仕事で使ったのか、私用で使ったのかがハッキリしません。そういうものは、「使用面積」「使用日数」「使用時間」などを基準に経費を計上するのが一般的です。

順にみていきます。

1 使用面積――仕事場の部分と私用の部分の面積比で必要経費を算出します。全体の4割の面積を仕事部屋にしている場合は、家賃の4割を事業費として計上できます。残りの6割が私用分です。

ワンルームマンションの場合は、住居全体が仕事部屋といえるので、家賃と光熱費の按分割合を仕事分7割、残り3割を私用分として按分して大丈夫でしょう。

なお、按分とは「物品や金銭などを、基準となる数量に比例して割りふること」（大辞林）という意味です。

2 使用日数――購入した車を平日（5日間）、ずっと仕事に使っている場合は、購入代金等の5／7が仕事分、残りの2／7が私用分に按分できます。

「半々でしょう」と税務署からクレームがつけば、「なぜそうしたのか」を説明し、当局が譲らなければ修正すればいいのです。

確定申告書に按分の理由を書いておくと、呼び出しを防げるかもしれません。

3　使用時間――パソコンを1日6時間仕事に使用し、2時間だけ私用に使っているのであれば、パソコンに関係する費用は「事業用3、私用1」で按分できます。

按分割合の計算をする場合には、按分の基準が合理的であれば、どの数字を基準にしても構わないとされています。

取材用の新車を購入した場合、仕事用と私用に按分して費用を計上しますが、採用する基準によって大きな違いがでることがあります。

2つの按分基準で比べてみます。

・「1週間の使用日数」を基準とした場合

仕事5割　私用5割

・「走行距離」を基準とした場合

仕事9割　私用1割

この場合は、「走行距離」を採用した方が、必要経費を多く計上できるので有利です。税務署から「なぜ9割の経費なのか?」と訊かれたら、「走行距離で按分しています」と答えれば問題ありません。

税務署に説明できる合理的な基準と按分割合であればいいのです。

電話料金は、通話先の番号や料金が記載された明細書で経費かどうか明確になります。通信会社に頼めば、郵送してくれます。

必要経費に計上「する・しない」は、自分で決めていいのです。通常は売り上げの40〜50%が経費の目安になります。

「なぜこれが経費になるの?」と税務署から訊かれたとき、その根拠と証拠物を明示できることが大事です。最悪の答えは「さあ、わかりません」。

実家や持ち家の場合の按分法

自宅とは別に仕事場を持っていても、帰宅後や休日に自宅でも仕事をする人は、自宅の家賃、電話代、光熱費などを合理的な按分比率で経費にできます。

持ち家の場合は、仕事用に対応する固定資産を毎年、減価償却費として計上できます。

たとえば、事業用の資産が2000万円で耐用年数20年なら、毎年100万円が減価償却費として必要経費になります。

一般的に、持ち家の減価償却費は大きな額になるので、小さい経費をコツコツと積み上げる必要がなくなります。

また、実家に住み、帰宅後や休日などに自分の部屋で副業をする場合、経費の計上はどうすればいいのでしょうか？

親にお金（住居費に相当。食費は除外）を入れていれば、そのお金の6〜7割は必要経費に計上できます。

要するに、副業する場所であれば、持ち家の書斎、実家の自分の部屋、事務所など、その形態や名称を問わず、適正な按分比率であれば、経費として計上できます。

その按分比率の算出には、前述した「使用面積」「使用日数」「使用時間」のうち、いちばん有利なものを採用すればいいのです。

減価償却費とは何か？

クルマやパソコンなどの購入金額が10万円以上で、何年も使用できるもの（固定資産という）は、一括で購入しても支払った年に全額経費にはできません。

固定資産は年を経るごとに価値が下がる（減価する）ので、使用期間（耐用年数という）で按分し、毎年少しずつ必要経費に計上していきます。これを「減価償却」といいます。

耐用年数は固定資産（コピー機、テレビなど）ごとに国が決めています。

たとえば、20万円のパソコンの法定耐用年数は4年ですから、20万円を4年間にわたって年に5万円ずつを減価償却費として処理します。

要するに、取得費用を耐用年数に応じて数年に分けて費用計上していくので、減価償却費とは「経費の分割払い」です。

なぜ、こうした処理をするのでしょうか？

それは、正確な損益を出すためです。もし、購入した年に一括で経費計上すると、最初の年と他の年とでは経費負担に大差が生じ、経理上の正確性を欠きます。

それに、購入した年に一括計上できるなら、利益が多く出た年に高額品をまとめ買いすれば、必要経費が大きく膨らむため、節税の有力手段になるからです。

実際、儲かった年の年末に10万円未満の物品を買うことは、超簡単な「節税テク」です。


高級外車が愛用される理由のひとつは、節税品の役割を持つからです。耐用年数は新車で6年、4年落ちは2年です。4年落ちのベンツを1000万円で買うと、500万円の減価償却費を2年間、計上できます。

収入から500万円が一気に引けるので、課税所得は激減します。これこそ、節税のためのクルマです。当然ですが、必要経費として落とすのですから、ベンツは事業用に使用することが前提です。

実はおトク感が味わえるのは、償却期間が過ぎた2年後に売却しても、500万円~700万円にはなるからです。節税できた金額を考えると、「安いカネでベンツを乗り回せた」ことになります。

儲かった年に高級中古外車を購入して節税を図るというのは、個人事業主には割と知られた節税手法のひとつです。ベンツを見ると、「節税しているな」という観点もあるかもしれません。

減価償却の方法には、「定額法」と「定率法」があります。定額法は、毎年同じ額を落としていくので、計算が容易で一般向きです。

他方、定率法は初めの年の償却費が大きく、年数がたつにしたがい少なくしていく方法なので、初めに所得を低くしたい場合にはこの方法が適しています。ただ、事前に税務署へ届けておく必要があります。

サクサクできるレシート整理術

開業届を提出すると、翌年2月の確定申告に向けた経理作業がはじまります。経理をしたことがない？　心配いりません。

白色申告なら、家計簿を付けるようなものです。節税に使う最重要品はレシートや領収書。領収書の宛名を訊かれたら、「上様」より自分の名前にしてもらいましょう。

手際よく領収書やレシートを取り扱うには、次の3つのコツがあります。これらに気をつければ、確定申告の際の経費の仕分けがラクになります。

1 私用と事業用の混在レシートには、事業用に目印をつけ裏面にメモを書く。

2 領収書の裏面に「○○案件」などと用途を補足しておく。

3 領収書が発行されない場合は、出金伝票を起こす。

「3」のような電車やバス代などは、日付、行き先、金額、利用した交通機関をパソコンやノートに記録します。ＩＣカード乗車券の利用履歴を印字したものでもＯＫです。

経費に計上できるのは、仕事上の支払いであることがきちんと説明できるものに限ります。そのための証拠書類は、しっかり保存しておきましょう。

証拠書類の例

- **慶弔関係 ↓ 招待状、案内状**
- **口座振替 ↓ 通帳、口座振替のお知らせ**
- **交通費 ↓ IC乗車券利用履歴**

レシートや領収書を紛失した場合は、税務署に対し仕事上の支出を証明できるものなら、それでかまいません。

たとえば、入場券の半券でもOKです。ただ、パンフレットは出金して入場した証明にはなりませんから無効です。

確定申告の際、レシートなどの証票類は、提出や提示の必要はありませんが、5年間の保存義務があります。

領収書、レシートは量が多いので、時系列でクリアファイルに入れておくなど、見やすい保存方法を検討しましょう。

レシートの整理は即断・即決で

レシートの整理は次の要領で行うと、確定申告の際の作業がラクです。

1　茶封筒やクリアファイルなどを項目ごとに用意する。

2　表紙に「資料代」「交際費」などと書く。

3　領収書やレシートは、そこへ仕分けして放り込んでおく。

4　確定申告の時期になれば、それぞれの封筒から領収書などを取り出し、

各項目の合計額を計算する。

ノートに張り付ける方法もありますが、かさばるし、張る作業が面倒です。領収書やレシートをとりあえずすべて取っておき、後で経費に計上するものとしないものに仕分ける、というやり方は、二度手間になり時間のムダです。

いちばん簡単な整理方法は、記憶が薄れていない、もらった当日か翌日に仕分けてしまうことです。

仕分けの基準は「仕事関連」かどうか。たとえば、次のようなものは経費にできます。

・飲食店のレシート
仕事関係の人と食べた飲食店の代金は接待費
・コンビニやスーパーの食料品のレシート
仕事関係の人にプレゼントするものは交際費
・コンビニやスーパーの家庭用品のレシート
仕事で使うものに目印をつける

・電化製品のレシート

仕事で使うものに目印をつける

・家具・椅子のレシート

仕事で使うものは経費になる

・クルマの維持費、ガソリン代

仕事で使う範囲において経費になる

水道、光熱費、電話料金の領収書は保管するより、預金通帳で一括管理すればラクだし、時間の節約になります。ガソリン代などもカード決済なら、管理が簡単です。税務署員は、領収書の改ざんを見破るノウハウを持っていますから、不正行為は発覚すると考えておきましょう。

領収書の改ざんには、重いペナルティが課されます。新たに支払うことになった所得税額に加えて、さらに35％の金額を支払わねばなりません。

10万円の税金を免れていた場合は10万円に加え、3万5000円（10万円×35％）の追徴課税が発生します。

税務署の問い合わせと根拠

申告納税制度とは、事業主が税金を自分で計算し、その結果を国に申告し、納税する制度です。

事業のことをいちばんわかっているのは事業主なので、そのわかっている人に確定申告の義務を負わせているのです。

事業主が提出した申告書は、正しいことが前提になっています。となると、理屈のうえでは「正しい」申告書に対し、税務署が修正を求める際には、「ココが間違っていますよ」と指摘し、その根拠を示さなければなりません。

それができない限り、税務署は申告書を認めざるをえないのです。ただ、問い合わせはあります。たとえば、家賃の８割を経費に計上した申告書を出した場合、税務署は「なぜ８割なのか」問い合わせの電話をかけてくる可能性があります。

問い合わせに対して、当方は８割にした根拠を明確に示せれば問題なしです。言うまでもなく、「明確に」とはペラペラ説明する、という意味ではありません。

担当者があなたの説明に納得せず、訂正を強く求めるときは、その根拠を示さなければなりません。

言い換えると、相手は根拠を示せる自信があるから、強く訂正を求めているのです。あなたがより強い証拠で反駁できない限り、相手の修正要求を受け入れざるをえないでしょう。

税務署の問い合わせを避けたいという気持ちから、経費を少なめに申告する人がいますが、そんなことをする必要はありません。

堂々と思った通りの申告書を出せばいいのです。費用対効果を考えれば、極小の個人事業主の申告書にいちいち深くかかわっていられないというのが、税務署の本音です。

税務署員も「徴税してナンボの世界」の住人であることだけは間違いありません。ただ、これに〝期待〟していい加減な申告書を出すことはリスキーな行為です。

税務署から封書。さあ、どうする？

ある日、自宅に1通の封書が舞い込みました。見ると差出人は税務署です。

脱税の嫌疑をかけられたのではないか、手が後ろに回るのではないか、とまで考えてしまう人がいます。

まったく心配いりません。当局が首をかしげる申告書だったから、連絡してきたわけで疑問に答えれば済む話です。ビクビクせず、開封してください。

では、文面をご紹介しましょう。

「当署個人課税部門の下記担当者宛、お電話をください。
・お尋ねしたい事項
　令和元年からの事業内容について
・お電話にてご連絡の際は、次の書類をご準備ください。
　確定申告書の控え
・なお、ご連絡後に面談が必要となった方は、
〈印鑑、確定申告書の控え、電話にてご準備をお願いした書類〉を御持参ください」

記載の番号に電話すると、申告書についてあれこれ訊かれます。スムーズに答えられればいいのですが、言い淀むと「ご来署、願えますか」となる可能性が高いです。

担当者の言い分は大方、「これは事業所得ではなく雑所得だから、再提出してくれ

ませんか」で済むレベルでしょう。

事業所得から雑所得に申告書を書き直して再度提出するか、申告書自体を取り下げるか、その選択だけです。税務署員の指示に素直にしたがえば、すぐに解放されます。

取り下げるという意味は、今回は確定申告を放棄することですから、申告書はほったらかしでいいのです。

あなたが税務署員に「事業所得と思ったんですが…」と軽く考えを述べるのはOKです。しかし、持論を熱く滔々（とうとう）と展開しはじめると、時間がかかるだけでなく、税務署員の気分を害した場合には、過去の分まで念入りにチェックされ、ペナルティを食らうかもしれません。

税務署員と面談するときに重要なのは、相手がすでに「結論ありき」か、こちらの言い分を聞こうとする余地を残しているのかを見極めることです。

見極めは簡単ではないですが、「結論ありき」と読めたら、国家権力を背負っている相手に貴重なエネルギーは使わず、指示にしたがっておくのが賢明でしょう。

税務署から何の連絡がなくても、それは必ずしも申告書に問題がないことを意味していません。

限られた職員と限られた時間で、大量の申告書（平成28年分の申告者は２１６９万人）を捌くことは物理的に不可能です。

極小の商いの申告書に目を通しているヒマはないから、お目こぼしされた可能性は否定できません。

税務署も費用対効果で動きます。砂粒の個人事業主を呼び出し、不審点を問い詰め、一体いくら徴税できるのか。

税務署員にはノルマがあります。それをクリアし、上を目指したい署員なら、高額の徴税が見込める申告書に労力と時間をつぎ込むでしょう。

「課税所得数百万円のところに税務署は来ない」

といわれるように、踏み込まれることはないでしょうが、電話による問い合わせならありえます。

当局が「電話をかけたくなるような申告書」は、くれぐれも出してはいけません。

なにごとにも節度があります。マイカーのガソリン代の7割を仕事用、3割を私用に按分していたら、「常識的には多いが、呼び出すほどでもないか」とスルーされる可能性があります。

ところが、家賃もガソリン代も「10割」を仕事用にしている申告書を目にすれば、「見て見ぬふり」はできなくなります。

ほどほどより少々上くらいで申告するのが、いちばんおトクな申告のやり方です。

税務署で「KY」は損

税務署員にはメンツも立場もあります。

そこを納税者はわきまえて申告書を作成したり、担当者と面談したりしなければなりません。呼び出されたら、担当者がかもしだす空気をまず読みましょう。

以下は、無税サラリーマンの体験談です。

3回目の確定申告後に「お尋ね」の手紙が来ました。面談すると、「事業所得として申告しているが、雑所得に変更してくれ」というのです。

「おかしな話だな」

と思いました。申告書の内容は、３回ともほぼ同じだからです。

「これまでの還付金はもういいよ、今回書き換えてくれたら」

と税務署員は静かに言いました。

これは「こっちも歩み寄るから、あんたも折れてくれよ」というサインと読めました。税務署員の事情はわかりません。こちらが察知できるのは、目の前の署員が、いいところで折り合いをつけ、早くこの仕事を切り上げたい、ということです。


自分の主張が受け入れられないときに、怒鳴りつけたり、ネチネチ原則論をぶったりする人がいますが、何の効果もありません。

ポイントは、「議論すること」ではなく、「節税すること」のはず。署員を感情的にしてしまうのは典型的な悪手です。

税務署員は税金のプロ。徹底的に調査する権利も能力もあります。国の看板を背負った署員とがっぷり４つの相撲をとっても疲れるだけです。

事業所得として申告して「雑所得にしてくれ」と言われたら、猛烈に抗議する人がいます。事業所得と雑所得の境界線について、法の不備だとガンガン攻めたてますが、やめておいた方がいいでしょう。

あいまいな税制度に対する不満を署員にぶつけたところで、どうにもなりません。税法が間違っていると、税務署員に文句をいうのはナンセンスです。法をつくったのは、政治家です。

税務署員は法律にしたがって仕事をしているだけで、制度自体の良し悪しに彼らの仕事は関係ないのです。

法の不備は彼らの責任ではなく、立法府（国会）や政治家の問題です。文句を言う相手を間違えてはいけません。

「無税装置」の停止場面

「無税の人」が続けられる最低条件は、「無税装置」が休みなく稼働することです。次のようなケースでは、「無税装置」が機能停止します。

1　税務署から雑所得の認定を受ける。

こうなると損益通算ができないため、所得税の還付がなくなり、住民税も支払うことになります。

雑所得への認定替えの理由は、売り上げの少なさに尽きます。営業に力を入れて来年、再チャレンジしましょう。

２　売り上げがまったく伸びず、副業が休眠状態になっている。

売り上げが少なければ、税務署は事業所得の認定をしません。売り上げが伸びない理由は営業に問題があるのか、副業の選択が間違っているのか、検討しましょう。

３　副業が繁盛し、「無税の人」から「有税の人」に変身した。

これが究極の理想の姿。脱サラも視野に入ってきました。これからどうするか、会社に残るか、脱サラするか。楽しいわかれ道に立っています。

副業の売り上げが増えれば、当然、副業の赤字が減ります。そうなれば、課税所得の減りも少なくなり、還付金額も減ります。

最終的には、副業が黒字に転換した時点で、「無税装置」は完全に停止し、「無税の人」から〝卒業〟です。

その後は、給与と副業の両方で所得税を払う「ダブル納税の人」に変身します。

第8章

「無税の人」の前に立つ3つの壁

「無税の人」になるには、「無税装置」を稼働させ続ける必要があります。無税装置とは、副業の事業所得の赤字が給与所得の黒字を削り落とすスキームをいいます。

この「無税装置」を稼働させるには、「3つの障壁」を突破しなければなりません。その3つとは、「副業禁止」「税務署の認定」「副業自体」です。

順に説明していきます。

〈第1の壁〉 副業禁止

会社は副業禁止がまだ大勢

サラリーマンが副業するにあたって、最大のネックが就業規則の「副業禁止」条項です。現在、副業を禁止している会社は約77%、容認・推進しているのは約23%です（2017年 リクルートキャリア調べ）。

副業禁止条項に対し、政府は2018年1月、「働き方改革」の一環として副業推進に大きく舵（かじ）を切りました。

政府の副業容認宣言から4か月後の調査では、企業の姿勢に変化の兆しが見えはじめ、禁止条項を外す企業が徐々に増えています。

「相次ぐ副業導入　企業はどう生かす?」――これは日刊工業新聞のヘッドライン（18年4月26日）です。

公務員は副業・兼業が禁止ですが、２０１7年4月、神戸市はいくつかの制限範囲を設けて副業を解禁しました。

この動きが他の自治体に波及していくかどうか、今後の動向が注目されます。

副業禁止の法律はない

実は、副業を禁じる法律は存在しません。言うまでもなく、職業選択の自由は、憲法で保障された権利です。

本来、会社が決めた時間帯にきちんと働いていれば、社員が他の時間をどのように使おうと自由です。第一、給料は働いた時間しか支払われていません。

会社に迷惑さえかけなければ、「副業をする・しない」は、社員が自由に選択できるはずです。

とはいえ、社員は「就業規則」を遵守しなければなりません。社員でいる限りは、就業規則に縛られるのです。

就業規則とは、会社が自由に決めた社員向けのルールです。就業規則に違反した場合の懲戒内容も、就業規則で決められています。最高のペナルティは退職金ナシの懲戒解雇です。


では、副業に関しては、何が書いてあるのでしょう?

一般的には「許可なく他の会社等の業務に従事しないこと」といった内容です。この禁止規定のポイントは次の2点です。

第1は「許可なく」——これは言い換えると、許可をとればいいことになります。

第2は「他の会社等の業務」——この「等の業務」とは、アルバイトやパート、ネットを使って収入を得る場合も含みます。収入の多寡は関係ありません。

そして、会社が「許可」を出すかどうかの判断基準は、おおむね次の3点です。

- **会社の業務に悪影響や支障が出るかどうか**
- **会社の対外的信用を損なわないか**
- **情報漏えいのリスクがないか**

会社が社員から副業をする理由を聞き、これらをクリアしていれば、「許可」がでる可能性があります。

たとえば、アプリの設計、賃貸不動産の管理、簿記講師をするなどは、前述した3点に抵触しないので、会社は副業を容認するでしょう。

いま副業志望者には、追い風が吹いています。社内の風を読んで許可が出そうなら、バレる前にさっさと許可をもらっておく方が、ストレスフリーでいられます。

申請する前に、いかに話を上司にもっていけば許可がおりるか、シナリオを練りましょう。あなたが上司に話せば、上司が担当課に伝えてくれます。

嫌い、苦手、頭が固いなどの理由から上司を飛ばして直接、担当課に話をもっていくと、後で上司に「聞いてないぞ」と言われ揉めるかもしれません。

上司を「飛ばして」も無駄です。担当課は必ず上司と協議しますから、ここは手順を踏むのが摩擦を避けるための手堅いやり方です。

ちなみに、アメリカでは副業は広く認められています。職業能力の高さを示す証拠と捉えられているからです。

また、副業には、社会的視野を広げる効用があるとも考えられています。日本でもこれからは、副業に対し会社に隠れてコソコソ稼ぐというイメージは薄れていくでしょう。

なお、労基法では就業規則の作成義務は、従業員が10人以上いる会社に限られています。日本には約171万社の法人企業があり、その約75％の129万社が、従業員10人未満の零細企業です（総務省統計局 2012年）。

ですから、就業規則のない会社は珍しくないのです。このような会社において副業が発覚した場合、社員はどのような懲戒を受けるのでしょうか？

通常は前例を基準に懲戒処分がでます。

「副業なんかやっているような奴はクビだぁ！　明日から来なくていい」

ワンマン社長のこうした〝鶴の一声〟で首切りをしてきた前例があっても、これは労働基準法に反していますから、法的には無効です。即刻、弁護士か公的な機関に相談した方がいいでしょう。

会社に前例がなければ、社長や上司との話し合いで決めることになります。

副業がバレたらどうなる？

副業禁止の会社で副業していることがバレても、いきなりクビにはなりません。どのような処分になるかは、就業規則に記載されています。

処分を決定する部署は、上司や同僚から日頃のあなたの仕事ぶりなどを調査し、就業規則に当たり、総合的な判断を下します。

「業務への悪影響はありません。まじめにやっています」

という証言が出てくれば、大ごとにはならないでしょう。処分の判断には、上司や同僚の評価が大いに影響します。

塩田武士氏は２０１６年、週刊文春ミステリーベストワンに『罪の声』で輝いた作家です。彼は神戸新聞記者時代にある新人賞を受賞し、それが報道されました。

退職を決意した彼は、辞表を懐に上司の前に立ち、頭を下げました。職場は兼業を禁止していたからです。

上司は辞表を受け取る代わりに、励ましの言葉をかけました。彼の日頃の仕事ぶりが、この展開を生んだのでしょう。

就業規則は絶対ではない

就業規則には、社員を解雇できる理由が書いてあります。その理由に該当しなければ、会社は社員を解雇できません。

ただし、副業、アルバイトなどをすれば解雇すると就業規則に書いてあっても、会社が就業規則通りに解雇できるとは限りません。

まず、副業やアルバイトの内容、会社が受けた損害などを検証する必要があります。損害のなかでは、次のことがらに該当しているかどうかがポイントになります。

- **会社の情報を漏えいした**
- **会社のブランドイメージを低下させた**
- **公序良俗に反した**

いずれにも該当していなければ、会社の解雇処分は妥当とはいえず無効です。法令や判例にも違反しており、権利の濫用になります。

就業規則は絶対ではないのです。就業規則になんと書いてあっても、会社側は正当な理由なく社員を解雇することはできません。

解雇に「正当な理由」があるかどうか、ここが最大の争点です。

あなたが解雇に「正当な理由」がないと考えているのなら、会社に処分が無効であることを理解させ、処分を撤回させる行動をとる必要があります。

それには直接話し合うか、行政機関などに仲介を依頼するかして、会社と交渉することになります。

その際、専門家の助けを求めるのが賢いやり方です。会社側も顧問弁護士など、専門家を前面にだしてくる可能性があります。

労働組合に相談し、力になってもらうのはひとつのアイデアです。会社に組合がなければ、個人で加入できる組合を探すことになります。

話し合いでラチがあかなければ、裁判所へ労働審判の申し立てという「法による解決手段」がありますが、これは労働組合との相談になるでしょう。

「法的手段」に訴えると、それがあなたに認められた権利であるのに〝うるさい奴〟〝扱いにくい奴〟の烙印を押されてしまうかもしれません。

会社相手に交渉したり、裁判を起こしたりすることは、サラリーマンにとって相当に精神的負荷が重い行動です。

それを乗り越え、処分撤回を勝ち取り、晴れて職場復帰を果たしたとしても、どこかぎこちなくなり、以前と違って働きづらい職場環境になっているかもしれません。

そういう一切のトラブルを避けるためには、「前もって手を打っておく」――つまり、上司に副業の許可を打診し、担当部署にあげてもらうのが、あなたを守る最良の一手です。

一般的には、担当部署は上司の意見、あなたの働きぶり、副業の内容などで認可の是非を判断するでしょう。

後述しますが、「無税の人」の副業は、住民税が原因で必ずバレます。どうせ発覚するのなら、その前に許可を得る行動をとる方がよいのではないでしょうか。

「会社バレ」の〝火元〟は住民税

まず住民税が天引きされる流れを説明します。

1　会社が年末調整を終える。

2　会社は翌年1月31日までに市町村へ「給与支払報告書」（源泉徴収票と同じ内容）を提出する。

3　市町村はこれに基づき、住民税（6月分から翌年5月分）を算出し、会社に5月までに通知する。

4　会社は通知書にある住民税を6月から毎月、給与から天引きする。

これが一般的な住民税納付の流れです。所得税は会社が、住民税は市町村が計算します。会社は毎月、給与から所得税（本年の所得に対応した前払い）と住民税（前年の所得に対応した後払い）を天引き（源泉徴収）しています。

新入社員は「前年」の所得がないため、翌年の5月まで住民税の天引きはありません。

副業が黒字の場合

副業の所得が年間20万円超であれば、確定申告をしなければなりません。ただし、給与所得や退職所得以外で20万円以下（20万円を含む）の場合は不要です。

言い換えると、20万円以下の副業の儲け（雑所得または事業所得）は、黙って全額をポケットに入れておけばよいのです。

「儲かった」と思いがちですが、ちょっと待ってください。

雑所得や事業所得が20万円以下でも会社が年末調整で扱わない医療費控除や住宅ローン控除などが受けられる場合は、確定申告をしなければ損をします。

なぜなら、医療費控除などの所得控除がまだ反映されていないのですから、自分で確定申告をすることで還付金が得られる可能性があるのです。損をしたくなければ申告です。

また、副業の収入から源泉所得税を納めている場合は、確定申告の際に必要経費を計上することで、天引きされた所得税が戻ってきます。

一方、住民税は1円でも所得（収入－経費）があれば、市町村へ申告義務があります。もっとも、副業が赤字の場合は不要です。

さて、確定申告をすると、給与所得に副業の所得が加わるので、その分だけ住民税が高くなります。

同じ給与の社員より高い住民税が、市町村から会社に通知されるため、副業が発覚します。住民税の税率は一律10％。住民税に10をかければ、前年のあなたの所得がすぐにわかります。

「会社バレ」を回避する方法

確定申告書には住民税に関し、「給与所得以外の徴収方法の選択」という項目があるので、「自分で納付」（普通徴収）の欄にチェックを入れます。

これは「給与所得以外」の所得が対象ですから、アルバイト収入などを「給与」でもらっている場合には、この方法は使えません。

これで市町村から自宅に副業分の住民税の納税通知書が届きます。間違って、「給与から差引き」（特別徴収）を選ぶと、市町村から会社に給与所得と副業の所得の合計分に応じた住民税の通知書が送付され、副業が発覚します。

どちらも選択しなかった場合は、「給与から差引き」になりますから注意してください。

副業が給与所得の場合

アルバイトで給与をもらっている場合はどうなるのでしょう?

アルバイト先が、あなたの1年間の給与支払報告書を住んでいる市町村に翌年1月末までに送付します。

つまり、市町村には本業の会社と副業先から給与支払報告書が送付されるので、市町村は2つの給与を合算し、住民税を計算して本業の会社に通知します。

先述したように、アルバイト収入が給与の場合は、確定申告書の「自分で納付」を選択できません。

ですから、アルバイトの賃金を給与でもらっている人の住民税の支払い方法は、本業の会社による「特別徴収」になります。

市町村は本業の会社に、本業と副業の合算額に対応する住民税を通知するので、あなたの副業が会社に発覚してしまいます。

発覚を防ぐには、アルバイトの仕事を請負で引き受け、給与ではなく報酬としてもらうことです。

これなら、「雑所得」または「事業所得」になるので、「自分で納付」欄を選択でき、副業分の住民税の納付書は自宅に郵送されます。

2か所以上の事業所で給与をもらっている人は、本業と副業の収入を合計して確定申告をする義務があります。

ここで、確定申告した際の、データの流れをまとめておきます。

１　税務署は、確定申告書のデータ（2枚目）を市町村に送付する。

２　市町村は、本業の会社に特別徴収の税額（本業分＋副業分）の通知書を送付する。

３　会社は、給与から住民税を天引き（特別徴収）する。

会社が受け取る通知書には、本業の給与と給与以外の所得（副業）、総所得金額（本業＋副業）が書かれています。

言い換えると、本業一本なら、給与所得と総所得金額は同じだし、給与以外の所得欄と所得区分の欄も空欄になっているはずです。

では、確定申告をしなければ、副業はバレないのでしょうか？

そんなことはありません。先述したように、副業先は市町村に「給与支払報告書」を提出するからです。提出しなければ、副業先は経費として処理できないため損をします。

市町村は本業の会社に住民税（本業分＋副業分）を通知するので、これでバレます。

バレない方法はないのか？

住所地の市町村の市民税係（呼称は市町村によって異なる）に「アルバイト分の住民税は普通徴収で払いたい」と掛け合うことです。

市町村にはあなたの要望を聞き入れる義務はないので、窓口の対応はわかりません。

幸い、「普通徴収でやってくれる」となれば、手順を教えてもらい、それにしたがって確定申告すれば、会社にバレる可能性は少なくなります。

特例として前年中に退職した人のうち、年間の給与が30万円以下の場合、アルバイト先の会社は、その人の「給与支払報告書」を市町村へ提出する義務はありません。あなたが前年に年間「30万円以下」の給与で副業先をやめたのであれば、〝会社バレ〟は防げます。

ただし、副業先に「給与支払報告書は提出しないでください。これは違法ではないですよ」と念を押しておく必要があります。

こういうケースもあります。

本業と副業先の両方に扶養控除等申告書を提出すると、税務署から本業と副業先の両方に問い合わせが入ることがあり、これでバレます。

副業先から扶養控除等申告書の提出を求められたら、副業であることをきちんと伝えて、提出を断ることです。

副業が赤字の場合

確定申告をすれば、住民税については一切何もする必要がありません。税務署からデータが市町村に送付されるからです。

住民税がどのように計算され、会社に通知されるのか、その流れをおさらいしておきます。

1　確定申告をする。
2　確定申告書の写し（2枚目）が、税務署から市町村に送付される。
3　市町村は写しのデータを基に住民税を計算し会社に通知する。
4　会社は所得税と住民税を天引き（特別徴収）し納税する。

「無税の人」の場合は、確定申告書の課税所得の欄がゼロ円ですから、住民税もゼロ円になります。したがって、給与からの天引きもありません。ここが給与所得だけの社員と違う点です。

会社の担当者は、課税所得ゼロ円と住民税ゼロ円という〝異常な数字〟に、「何かやっているな」と感じます。

経理から呼び出されたら「不動産所得が赤字になってしまって」と言い逃れできるでしょうか？

これは墓穴を掘る言い訳です。市町村から会社に送付される通知書には、主たる給与以外の合算合計所得区分（副業の所得の種類——給与所得、事業所得、雑所得などの区分）や総所得金額（本業の所得＋副業の所得）が書かれていますから、事業所得で赤字を出したことがわかるのです。

私の場合は会社の担当者が鷹揚、あるいは無関心だったので、ほぼ40年間呼び出しはありませんでした。

近頃は給与計算をアウトソーシング（外部委託）している会社が増えています。この場合は、請負側が会社へ〝通報〟するかどうか。これは請負側のスタンス次第なのでわかりません。

「課税所得ゼロ」なら打つ手なし

副業収入が会社にバレない方法として「普通徴収」を選択するのは、副業が黒字で住民税が発生する場合だけです。

副業が赤字で、確定申告の課税所得がゼロ円なら、住民税は発生しないので何もする必要はありません。

市町村が会社に送付する住民税の通知書には、〈1給与収入　2その他の収入〉が記載されており、「2」はマイナスになっています。

誰が見ても不自然な通知書ですから、会社は社員の社外の行動を推察します。「副業をしているな」と思って、就業規則の副業禁止の条項を確認し、呼び出しをかけるかもしれません。

マイナンバーで副業がバレる？

副業が発覚するのは住民税からで、マイナンバーからではありません。会社がマイナンバーを使って社員の所得を調べることは、制度上できないのです。

税務署は、個人名や住所から副業収入を調査することができます。マイナンバーは、その効率を上げ、課税漏れを防止するのに有効なツールにすぎません。

確定申告書にはマイナンバーを記入しますが、税務署があなたの副業収入をつかんでも、その事実を会社に通報することはありません。

マイナンバーと〝会社バレ〟とは無関係です。

「会社バレ」は「自分の口」から

副業の許可を得ていない場合は、他人の目や口を警戒しましょう。「無税の人」が実現すると、つい口がゆるんで「副業で還付金が全額戻ってきた」なんて自慢話をする人がいます。

それを聞いた人が、次の誰かにしゃべる。そのうち、「○○さんは副業をしていますが、会社は許可していますか」と内部告発者が現れるかもしれません。

失業給付をもらいながらアルバイトをしている人が「この頃、余裕ができてね、ダブルインカムだから」と自分から違法行為をしゃべってしまい、ハローワークに通報される話と根は同じです。

インテリジェンスの専門家によれば、「秘密漏えい」の半分は、本人の口からといいます。「口は災いの元」は不滅の金言です。

「目撃情報によるタレこみ」も意外と多いと聞きます。また、偶発的なトラブルやケガでバレたり、蓄積疲労から頻繁に遅刻するようになり、「副業」を疑われるというのもあります。

副業が発覚して呼び出されたときに備え、あらかじめ頭の中で想定問答をやりとりしておくと、いざというとき慌てずに済みます。

会社の突っ込みに対する言い訳を3パターンくらい、頭の中の引き出しに用意しておけば、その場をうまく切り抜けられるかもしれません。

バレたときの対処法は危機管理の要諦と同じで、相互に関連する次の4点を実行することです。

1 できるだけ早い行動。
2 正直に副業の事実を認める。
3 事前承認を得ていないことを謝罪。
4 副業の内容を都合よくごまかさない。

真摯な反省を上司や担当部署に対し表明し、別の機会に改めて「許可」をもらうようにします。ヘタに取りつくろい、ごまかそうとするとコトを余計にこじらせます。

会社から許可を得ている場合でも、副業に関することは口外しない方がいいでしょう。特に飲み会では気がゆるみますから注意してください。

なぜなら、副業をしていると、同僚たちに余計な詮索(せんさく)をされる可能性があるからです。

「手抜きをしているんじゃないか」

「派手に儲けているようだ」

「そろそろ退職を考えているらしい」

あなたの副業は、同僚たちに恰好の噂のネタを提供します。会社や同僚に迷惑をかけていない自信があっても、副業ネタは職場の人間関係には、プラスになりにくいものです。

本業と副業をうまく両立させているあなたに対し、屈折した「やっかみ」の感情を抱く人がいるものです。嫉妬は刃物より怖いといいます。

職場内の不要な摩擦を避けるコツは、自分から〝副業ネタ〟を持ち出さないことです。もし、持ち出されたら、うまくかわしましょう。

「君子危うきに近寄らず」——ここでいう「危うき」とは副業ネタのことです。自分から〝火種〟を提供してはいけません。

〈第2の壁〉税務署の認定

壁の高さが決まっていない

サラリーマンが副業から得る所得は、一般的には「雑所得」とみなされます。ただ、税務署は事業所得と雑所得の境目をクリアにしていません。

ですから、税務署の担当者の裁量によって、雑所得になったり事業所得になったりすることがあります。

つまり、壁の高さが裁量で高くなったり低くなったりするのです。低く設定している担当者に当たるかどうかは運次第です。

それなりの売り上げをあげていれば、事業所得に認定される可能性がありますが、この「それなり」がどのレベルなのか、それがあいまいなのです。

税法にも具体的な記述がありません。基準がクリアでないなら、それを逆手にとって自己判断で事業所得として確定申告してみましょう。

年商50万円なら、必要経費を引くと所得はマイナスになるでしょう。でも売り上げは立っているのですから、副業の実態はあります。

副業を事業所得として確定申告し、税務署の反応を探ってみればいいのです。税務署から「これは雑所得ですね」と判定されたら、理由を尋ねます。

売り上げが少な過ぎるということなら、商いに励んで、また次回にトライするだけです。次回は裁量のゆるい署員に当たるかもしれませんが、そんなことに期待するより、売り上げで文句なしに「第２の壁」を突破しましょう。

〈第３の壁〉　副業自体

継続することの難しさ

２つの壁を乗り越えても、「無税装置」が稼働し続ける保証はありません。「第３の壁」が立ちはだかっているからです。

この最後の壁こそ、乗り越えるのがいちばん手ごわい壁です。どういう壁かといえば、副業を長年続けられるかどうか、あなたの経営能力を試す壁です。

副業を短期間やることは難しくないですが、長期間続けることには困難がともないます。年商50万～100万円の極小の商いであっても、永続させるにはなにかと難しさがあります。

大村大次郎氏は「副業を続けるのはラクじゃない」と言っています。昔から「商いは飽きない」といいますが、実は飽きる前に苦労に負けて投げ出してしまうのです。

副業を地道に続けていくことこそが、「無税の人」であり続ける最大のポイントです。

生き残れるのは約1割

国税庁の調べによると、個人事業主は創業1年以内に約4割、3年で8割、5年で9割が廃業に追い込まれています。

サラリーマンが副業（給与をもらう副業をのぞく）を継続するのは、個人事業主よりはるかに厳しいと私は思います。

理由は次の3点です。

・本業があるから専念できない。
・本業で食えるから、儲からないとすぐに投げ出す。
・本業が忙しくなると、副業が後回しになる。

副業を5年後も継続しているサラリーマンは、1割を切っています。厳しい数字ですが、「上位1割だけが生き残る」というのは、実は他の世界にも当てはまる順当な数字で、驚くことではありません。

たとえば株式投資。一時は儲かっても人生の最後に精算したら、黒字の個人投資家は、1割未満です（野村証券　２０１５年・個人投資家１０００人アンケート）。

芥川賞は年に2回、受賞者がでます。受賞後に「食える作家」になれるのは1割未満、「稼げる作家」は数パーセント以下といわれます。

副業を含め、どの世界の生き残り率も「1割以下」です。

サラリーマンが副業をはじめるのは簡単ですが、永続させるのは難しい――これが高く険しい第3の壁の姿です。副業で税金を取り戻すには、この壁を乗り越えねばなりません。

無税装置の取り付けは、開業届を出すだけですから、5分でできます。肝心なことはその先にあります。

無税装置を支障なく運転し続けることです。

それには、「赤字の副業」を継続して経営しなければなりません。副業が赤字でなければ、所得税は戻ってこないからです。

本来の副業の生存率は1割以下ですが、利益を出さなくていい「赤字の副業」の生存率は、1割以上はあります。儲けを追求しなくていいから少しは楽です。

ただ、赤字が家計を圧迫しない副業でなければなりません。たとえば、ウェブライター、イラストや写真の販売、ネットを使ったビジネスなどは、必要経費と家計の支出が重なり、「生活費の一部＝経費」となる副業です。

「無税の人」になるには、赤字の副業を経営する必要があります。そして、赤字が原因で廃業に追い込まれないためには、次の3点が重要です。

- **副業のために新たな支出をする必要がないこと。**
- **新たな支出は売り上げでカバーできること。**

・必要経費が生活費の中からでること。

これで「赤字が痛くない」副業を長期に継続できます。副業の赤字が、家計に打撃を与えないからです。その上で、副業の選択については、次の3点を押さえておきましょう。

・好きなことを選ぶ。
・本業を圧迫しないものを選ぶ。
・起業に資金がかからないものを選ぶ。

何が自分に向いているのかは、自問自答するしかありません。副業では「やりたくないことはやらない」という基本ポリシーを貫くのもいいでしょう。

副業を楽しみつつ、還付金を獲得する——これが「無税装置」のオペレーターとしての理想型です。

ここでまとめておきます。「無税の人」を長年続け、節税額1000万円超えを目指すには、次の3点が必須要件です。

・**副業を永続できること。それには無理をしないこと。**

・**事業所得の認定を得るため、年商（売り上げ）を最低50万円〜100万円にすること。**

・**赤字決算が痛くない副業を選ぶこと。**

これで無税装置は、「ただ今、稼働中」となり、年に1回、還付金という果実が手に入ります。

無税生活は、積立貯金と同じ長期投資です。長年続けてこそ効果が上がります。第1の壁（副業禁止）は会社が、第2の壁（税務署の認定）は税務署が設置したものです。最後の第3の壁は、あなたが選んだ副業自体の中に築かれています。

そのもっとも高く険しい壁は、自分の才覚だけを頼りに乗り越えていかねばなりません。

究極の目的はどこにある？

副業の所得がどの程度になるかは、人によって様々です。必要経費を引くと大きな赤字になる人、小さな赤字なので還付金が少しだけの人、黒字で還付金がゼロの人など。

理想のスタイルは、本業と副業のダブルインカムで生活が今より豊かになることです。ただ、それが思うようにいかない人が大勢います。特に初期段階は、儲けが薄いのが一般的でしょう。

儲けが薄いときに節税の基本の「損益通算」を使うと、天引き所得税が全額戻ってくる「無税の人」になれます。無税とまではいかなくても、いくらかの還付金が手に入ります。

副業が軌道に乗り収益が出るようになれば、晴れて「無税の人」から〝卒業〟です。本業を続けられないほど副業が繁盛し、税金を多く払えるようになれば、新たな仕事人生の構築に成功したといえます。

「無税の人」であり続けることが、究極の目的ではありません。「無税の人」は人生の途上の一場面の、仮の姿でありたいものです。

とはいえ、人生はままなりません。私の場合はイラストレーターとして成功できず、定年まで「無税の人」であり続けました。

できれば、二足のわらじのうち、サラリーマンの方を脱ぎたかったのですが、才能の欠如が招いた結果ですから致し方ありません。

ついでに、「脱サラ」して5年後、個人事業主として働く人たちを対象にしたデータを紹介しておきます。

- **92％の人が年収はサラリーマン時代の方が多い**
- **6％の人が年収はサラリーマン時代と同じ**
- **2％の人が年収はサラリーマン時代より多い**

このように、年収からみると、「脱サラ成功率」は1割以下です。

ボチボチ副業とコツコツ節税

弱小サラリーマンにとって、「無税装置」は税法を使った「窮余(きゅうよ)の一策」です。給与は上がらないのに、税金、社会保険料の支払いで稼ぎの約44・6％（2020年度の国民負担率）が取られています。

なんとか生活を向上させる手はないか？

「それには副業だ」とはじめてみたが大苦戦。では、税金を取り戻す手はどうかと思案し、思いついたのが「無税装置」の構築と運用です。

「副業の所得は雑所得だろう。税務署の目をかすめて事業所得で申告するとはズルくないか」と背中から非難の声が上がります。

「無税の人＝こそこそしてズルい人」とみなされ、健全な納税意識が欠落していると叩かれました。

「税金は社会の一員として暮らしていくための会費ですよ」

とさらにキツイ追い打ちです。言われるまでもなく、橋も道路も学校教育も公共サービスも、すべて税金でまかなわれています。

「おっしゃる通りです」

当方は沈黙するしかありません。ただ、開き直るつもりはないのですが、副業収入を事業所得に認定しているのは税務署です。

さらにあえて言えば、収入が低く子供がいる人を中心に、サラリーマンのおよそ4分の1は無税です。中小企業も7～8割は赤字なので税を納めていません。

より豊かに生活する方策のひとつが副業であり、それが思ったように軌道に乗らないことから生まれたのが「無税装置」でした。

税法を素直に使ったら「無税装置」が立ち上がり、それは脱税のためではなく、節税するための装置でした。

私が副業をはじめた頃の志は、あくまで黒字経営を目指しており、脱サラ狙いでした。副業の炎が高く吹き上がるか、チョロチョロとくすぶり続けるか、それはやってみなければわからないことです。

私の場合は、40年間くすぶり続けたわけです。

なかにはこういう考え方もアリでしょう。

事業所得として認定される程度の売り上げをあげ、そこから必要経費を引くと事業所得は赤字になります。

その必要経費は、もともと生活費の一部なので痛みは感じません。実損を出してまで、税金を取り戻そうとは誰も思わないものです。

痛くない赤字と給与所得の黒字を損益通算することで、課税所得をゼロ円にする――。このスキームで無税装置を回し続け、長期にわたって還付金を頂戴する。名付けて「ボチボチ副業・コツコツ節税」。

これは長期積立貯金によく似た投資の変形です。この「変形投資」を長年にわたって続けられれば、所得税の還付金と、本来払うべき住民税の合計で1000万円超えも十分可能です。

さらに、住民税非課税世帯ですから、自治体が提供する教育、福祉などのサービスが廉価で受けられる恩恵も長年にわたり享受できます（巻末付録①参照）。

私の場合はポツポツと注文が入り、コツコツと節税ができました。もっとも、還付金の積み立てはできませんでした。生活費としてあっさり消えていったからです。

第9章

「無税の人」成功実例集

見習い社労士の収支決算

社会保険労務士の資格を取ったサラリーマンのY氏は、「社労士事務所」を立ち上げました。社労士とは、年金事務所や労基署に提出する書類の作成や提出を代行できる資格です。

資格だけでは「食えない」ので、サラリーマンと兼業しています。確定申告の際、収益を雑所得にするか、事業所得にするかを税務署員に相談したところ、

「取り組み具合が問題。小遣い稼ぎ程度という認識なら雑所得ですね」

という答えでした。

その答えを素直に受け取れば、「小遣い稼ぎ」という認識がなければ、売り上げが少なくても、事業所得として申告していいことになります。

「片手間でやっているのではないのですが、売り上げが伸びないのです」

と主張すれば、事業所得として認定されるのか否認されるのか。申告書を提出してみなければ、どうなるかわかりません。

税務署員は、「認識」という納税者の内心をどのような基準で評価しているのか、

素朴な疑問がわきます。

自宅の書斎が事務所

自宅で士業を開業すると、経費算入できるものがたくさんあります。Y氏は賃貸マンションの一室を「事務所」にしているので、家賃、光熱費、車の維持費、駐車場代の5割を経費に計上しています。

事務所のスペースは、自宅全体の5割未満ですが、打ち合わせにはリビングを使用するという事情を考慮して5割にしました。

儲かっている同業者は、知人、友人から飲食店のレシートを集めて接待交際費として落としているようです。

山荘を買って「保養所」の名目で建物部分を減価償却して経費にしている同業者もいると聞きます。

Y氏は今のところ、売り上げが少ないので、あちこちからレシートをかき集めて（不正行為です）必要経費を積み上げる必要はありません。

事務所が自宅なので、自家使用と業務使用を半々にしており、その経費だけで赤字になってしまいます。ただ、この赤字は生活費の一部なので、副業をやらなくても支出するものですから、痛みは感じなくて済みます。

昨年は給与所得と事業所得を損益通算すると、課税所得がゼロになり、意図したわけではないのですが、「無税」サラリーマンになれました。

市が開催する無料の税務相談に行くと、税理士がこう言って慰めてくれました。

「お客さんがつくには時間がかかります。お客が10人できれば、そのお客たちが客を紹介してくれます。10人になるまでがシンドイですがね」

「税務署から雑所得にしろ、と言われたらどうしたらいいですか」

とY氏は訊いた。

「事業所得で申告しているんですか?」

「ええ」

「頑張っています、と言うしかないね。士業は開業当初が厳しいのは、向こうも承知しているよ」

「雑所得に変更しろと言われますかね？」

「それはわからない。雑所得と事業所得の境界線はグレーだし、税務署員もいろいろだから個人差が出る。冗談だろうが、担当者によっては、その日の気分で判断が変わるともいわれている」

「認めないと言われたら、どうしたらいいですか？」

「簡単だよ。署員の言う通りにするだけ。役所相手にスモウをとってもはじまらんよ。それに、向こうは、およその着地点を決めてから呼び出すから」

Y氏はうなずいてから
「で、どうなりますか？」

「申告書の書き直しで済むよ。ペナルティはなし。スジの悪い所得隠しをしたわけではないから」

「事業所得として認めてくれたら、還付金があるんですけど」

「そこにこだわらない方がいいな、損益通算を使った還付金狙いと思われるよ」

「危ないですか？」

「専業なら売り上げゼロでも文句は言われない。サラリーマンとの兼業だと、ツッコミが入るかもね」
そんな会話をしてから新しい年が明け、とりあえず事業所得で確定申告してみました。税務署からは何も言ってこず、1か月後には還付金の振り込みがあり、これで2度目です。申告内容が認められたのか、スルーされたのか、そこのところはわかりません。

還付金が振り込まれてからでも呼び出しがあるというから、油断はできないのですが、やはりうれしいものです。

Y氏は会社に黙って「開業」しています。就業規則には「副業禁止」が謳ってあるから、バレたらなんらかの処分があるはずです。

Y氏は言い訳を用意しており、それをときどき口の中でブツブツ言って練習しています。一般的には、本業と副業の境界がかけ離れていると、競業関係にならないので、会社は副業を容認しやすいといわれています。

Y氏の本業と社労士業務には密接な関連があり、Y氏はむしろそこを強調する作戦です。

——業務にもっと精通したいと考え、社労士の資格を取得しました。開業は仕事上のスキル向上に役立つと考えました。

もちろん、会社の業務に差し支えるようなことは一切していません。許可を得なければと思っているうち、つい時間が経過してしまいました。

これでなんとか切り抜けられるだろう、とY氏は楽観しています。

住民税からすでに「足」がついているのではないかとも思いますが、給与計算がアウトソーシング（外部委託）されているからか、まだ何も言われていません。

土日の宅地建物取引士

宅地建物取引士の資格を持つK氏。宅地建物の取り引きでは、宅地建物取引士が顧客の面前で重要事項説明書を読み上げることが法的に決められています。

サラリーマンのK氏は、土日、祝日だけ、ある不動産会社に出勤し、この「読み合わせ」をメインに、ときに「物件案内」もやっています。

読み合わせは前もって設定した契約日時に行うので、K氏には予定を立てやすいのです。

社員を土日に休ませたいが、お客は圧倒的に土日が多い不動産業界にとって、K氏は重宝がられています。ちなみに、この業界は契約を「水」に流さないよう水曜が定休日です。

K氏は不動産会社と雇用関係にはありません。請負で報酬をもらっているので、給与所得ではなく事業所得です。

収入から必要経費を引くと、事業所得は赤字になります。給与所得と損益通算すると、課税所得が減って、かなりの所得税が戻ってきます。

事業所得が少しでも黒字なら、確定申告書の住民税の支払いは、「自分で払う」にチェックを入れておけば、納付書が自宅に届くので、会社に副業が発覚することはありません。

K氏の場合は事業所得が赤字なので、住民税がそもそも発生しないのでこの手は使えません。市町村から減額された給与所得に対応した「住民税通知書」が会社に届きます。

もっとも、K氏の会社の経理は住民税に関しては「見て見ぬふり」なので、副業の発覚は心配ないのです。

Ｋ氏が所得税を全額取り戻す「無税の人」になるには、必要経費をもっと積み増して赤字を膨らませ、課税所得をゼロにする必要があります。

無理をせず合法的に必要経費を積み上げる方法はないか、と思案していたら、「中古のクルマに買い替え、減価償却すればいいよ」と不動産屋の店長が教えてくれました。

店長の説明は次のようなものでした。

仕事と関連性があれば、車の購入代金は経費になります。ただし、車の価格がそのまま経費とはならず、減価償却という形で経費に計上します。

４年落ち中古車の法定耐用年数は2年なので、３００万円の中古を買えば、１年で１５０万円が経費として落とせます。

ただ、Ｋ氏の場合は、週7日のうち土日だけ業務に使うので、７分の2の約43万円しか経費に計上できません。

「経費は走行距離で按分すれば有利だよ」

と店長がまた知恵を授けてくれました。クルマは、会社勤めをしている平日はほとんど使わず、土、日に集中して走らせているので、9割を経費として計上しました。その結果、必要経費が大きく伸びたことで、事業所得の赤字が膨らみ、「無税の人」に変身できました。

還付金全額と、あこがれの外車を手に入れて、K氏はホクホクの春を迎えました。

夫婦で運営する「教室」

サラリーマンの夫が裏方に回り、妻が事業を切り盛りしている場合でも、夫は「無税の人」になれます。

布製のかばんづくりが趣味のA氏の妻は、自宅で教室を開いており、同時にネットでも作品を販売しています。

妻が教室とかばん制作、夫が宣伝、運営、経理を担当しており、夫が事業主、妻が従業員という位置づけです。

妻が稼いだ収入を「夫の事業所得」として申告することは可能でしょうか？　夫は市役所主催の税務相談に出向きました。

「夫が妻のビジネスに関与しているなら、夫の事業所得として確定申告することは認められています」

と税理士の相談員は答えました。「夫婦の事業」を夫の副業収入とみなして節税しているケースは、少なくないといいます。

相談員は先を続けて

「徴税のプロは〝相手〟を見ますよ」

「でも、税法は誰に対しても平等のはずでは…」

Ａ氏は思わず訊きました。

「税務署は税法にうとい者からは、最大限の税金を取ります。それが仕事ですからね。節税術を心得ている者からは、〝最大限〟は取れません。

つまり、税の知識が高い人ほど、税は安くなります。だけど、フツーの人は勉強する時間がないでしょう」

税理士を雇う効用を説いているのか、とＡ氏は聞きながら思っていました。

「われわれは〝税の傭兵〟です」

税理士はさらに続けました。

「官僚や役人は、訊かれたことには答えます。低レベルの質問には、それなりの回答をします。訊かれていないことは、納税者に有益であっても答えません。あなたにいい質問ができますか？」

税理士は、自分の話に酔っているように小さくうなずきました。

ネット通販大盛況

商社勤めのM子さんは、ブログとホームページ（HP）を数年前から運営していました。試しにフランスのモデルが持っていた小物入れをパリから直輸入し、HPで展開してみたら注文が殺到。これに気をよくしてパリまで飛びました。

輸入業のいちばんの「役得」は、買い付けのための海外旅行費一切（航空券、ホテル代、旅行保険など）が、必要経費として計上できることです。

「現地で雇え」と税務署に叱られるかもしれませんが、夫を通訳兼カメラマンとして帯同した費用も計上しました。

年2回は夫婦で海外に現地視察に出ると、経費は軽く100万円は超えます。税務署に訊かれたときに備えて、現地の製造業者や店舗責任者と一緒の写真を必ず撮っておきます。次回からは仕入先をロンドンにまで広げ、イギリス旅行も楽しみたいと考えています。

カメラ、パソコンなどの購入費用が10万円以下であれば、購入した年に一括で必要経費として落とせます。

だから、「今年は売り上げが多いな」という年には、「10万円以下」の商品を数点買っています。

それでも利益が出そうになるときは、仕入れを増やして相殺し、天引きされた所得税を全額還付してもらっています。

商売が軌道に乗りだしたので、専門業者にＨＰのリニューアルを依頼しました。内容が頻繁に更新されるＨＰは、作成費用の効果が1年以上は及ばないため、制作費用は支出した年に全額を必要経費として処理できます。科目は広告宣伝費です。

今、夫と検討中なのは、クルマを買い替えることです。夫に提案したら、「クルマは買うより借りる方が正解らしいよ」と言いました。

リース車ならリース料を業務使用の分だけ、経費に計上すればいいので簡単です。一方、購入すると、経費計上には減価償却（法的耐用年数に分割して毎年、経費に計上していくこと）をする必要があります。

また、保険や整備にも気を配らなくてはなりません。その点、リース車はガソリン代を払うだけで管理がラク。リース期間が過ぎれば、新車に乗り換えもできます。

もうひとつ、検討しているのが白色から青色申告に切り替えることです。青色にすれば、特別控除の65万円も使えるし、家族を従業員にもできるので、売り上げを大幅に削れます。ただ、帳簿の整理、損益決算書の作成などに時間をとられそうで決断できずにいます。


税務署が「一度調査に入ってみるか」という気になるのは、売り上げが急伸しているのに収益が横ばい、または減少している事業所です。

疑いの目を向けられないよう、売り上げが急増した年は、申告書の特記事項に「人気商品を発掘できたが、開発経費が倍増した」「事業用と私用の按分比率は4対6です」

などと簡潔に事情を書くようにしています。

不動産投資で「無税」を狙う

サラリーマンが「無税の人」になるには、損益通算を使うしか手はありません。これまでは給与所得と事業所得の損益通算をみてきました。

ここでは、不動産所得と給与所得の損益通算を検討します。まず、不動産所得とはどのようなものでしょうか？

不動産所得とはマンションの部屋や土地を貸して得る所得のことで、売買して得た所得は譲渡所得です。

不動産賃貸業にサービスの提供が加わると、不動産所得にはなりません。たとえば、賄い付きの学生下宿は、食事の提供というサービスが付加されるため、事業所得になります。

有料駐車場は、経営者によるクルマの保管管理というサービスが付くかどうかで、所得の種類が違ってきます。

スペースの提供だけで、車を「保管管理する人」がいない月極駐車場や、青空駐車場の収益は不動産所得です。

他方、クルマへのキズや盗難などに対する責任を経営者が負う場合には、事業所得か雑所得になります。駐車場をフェンスなどで囲み、入り口を規制して管理者を置くといった形態が一般的です。

コインパーキングは、サービスが何もないので不動産所得にみえますが、事業的色彩が強いため、事業所得に区分されています。

アパート賃貸業の「収入」には、次のようなものがあります。

家賃、共益費、礼金、更新料、太陽光発電による売電収入、敷金・保証金のうち返還する必要のないものなどです。

収入から必要経費を引くと、「所得」が出ます。アパート経営をするサラリーマンの所得は、「給与所得＋不動産所得」ですが、さらに副業をしていれば、「事業所得または雑所得」が追加され、３種類の〝所得持ち〟になります。

不動産所得は事業所得と比べると、次の３つのメリットがあります。

第一は、会社や役所から〝文句〟が出ないことです。

サラリーマン（公務員を含む）が、大家や駐車場のオーナーとして「第2の収益」を上げても、会社や役所は何も言いません。完全にスルーしてくれます。

第二は、必要経費の積み上げが事業所得に比べて容易にできることです。

このことから、高収入のサラリーマンは、不動産所得によって「無税作戦」を実践しています。

第三は、記帳が小売業などと比較すると簡単なことです。特に白色申告は、「誰にでもできる」帳簿作業といえます。

アパート経営の当初は必要経費が多いため、しばしば赤字になります。不動産所得が20万円以下の人、または赤字の人は、確定申告をしなくてもかまいません。

もっとも、確定申告をすれば、給与所得と損益通算できるので、給与から天引きされた税金が戻ってくる可能性があります。

アパート経営の必要経費

必要経費として計上できるのは、管理費、修繕（積立）費、各種税金、仲介手数料、損害保険料、建物・設備の取得に要したローンの利息などです。

賃貸用マンションのローン返済額のうち、利子の部分は経費として認められますが、元本部分は対象外です。

計上を忘れるものに、物件までの交通費（ガソリン代など）、不動産会社との通信費、打ち合わせの際の手土産代など、つい「見逃してしまうもの」があります。

1円の支出もなく毎年、大きな必要経費になって収益を削ってくれるのが、アパート価格の減価償却費です。

減価償却とは、法定の耐用年数（使用可能期間）に基づき、購入物の価値が目減り（減価）した分を、毎年必要経費にすることをいいます。

つまり、建物費用を購入した年に一挙に経費計上せず、分割でしていくのです。言い換えると、耐用年数が過ぎた物件では必要経費はありません。

たとえば、4年落ちの中古車の法定耐用年数は2年なので、100万円で買った車の場合は、年に50万円ずつ2年間、減価償却費として経費にできます。

アパートの購入費は、建物部分の金額のみが減価償却の対象で、土地は建物と違い、何年使用しても価値が「減価」しないため、減価償却の対象外です。

法定耐用年数は物件の構造によって、次のように異なります。

- **木造20～22年**
- **鉄骨造19～34年**

建物は、このように使える年数で分割して経費計上（減価償却）します。

マンションの一室の土地と建物の金額を比べると、建物の方が高額です。マンション一室あたりの土地は狭いからです。

土地と建物が一体になったマンション価格の場合は、譲渡対価証明書（土地と建物の按分割合を示す書類）を不動産会社から入手し、建物の価格を知らなければ、減価償却ができません。

必要経費が賃貸料を上回れば不動産所得は赤字ですから、確定申告の際に給与所得と損益通算すれば、天引きされた所得税が戻ってきます。

逆に、アパート経営の収支が黒字であれば、確定申告でその税額を算出し、納税することになります。

「家賃を年金代わりに」

サラリーマンのR氏は、ワンルームマンションを賃貸目的で購入しました。家賃で購入資金を返済したのちは、安定収入になると考えたのです。

大誤算は貸家業の最大リスクの「空室」が長い間続き、家賃収入はゼロといういきなりの顔面パンチでした。

結果としてその年は大赤字。翌年の確定申告で、赤字の不動産所得と給与所得を損益通算すると、課税所得はマイナス（申告書上はゼロ円）になり、天引きの所得税が全額戻ってきました。

「税のブーメラン現象」が起きたのです。

「所得税ゼロ」は、住民税ゼロに通じるので、市の低所得者向け補助の対象者となり、子どもの保育料補助や教育助成金などが受けられ、これには随分助けられています。

いったん納めた所得税が、財布に戻ってくる様を実感したR氏は、不動産所得を赤字にすることに頭を使うようになりました。

税金、管理費、修繕（積立）費、損害保険料などの諸経費は、賃料の約2割かかるといわれます。となると、赤字経営にするには、最低あと8割の経費の積み上げが必要です。

遠方への旅行には、物件のチェックを兼ねていくよう計画を立てました。旅費とホテル代が経費計上できるからです。

税務署員の質問に「証拠」を示しながら説明できるよう、現地の不動産業者と面談した際の名刺と談話メモ、物件の写真などを持ち帰るようにしています。

白色申告には、専従者控除という所得控除があります。アパート経営を手伝ってくれる配偶者や家族に給与（配偶者は上限86万円）を支給する場合、その給与を売り上げから控除できる制度です。

ただし、経営が赤字の場合には、専従者控除は使えません。青色申告の特別控除65

万円が、赤字のときに使えないのと同じです。

今は不動産で利益は出ていないけれど、還付金を得ています。20年後には、ローンの返済が終わり、家賃全額が手元に入る目算ですが…。

ベテランのサラリーマン大家の意見では、不動産投資の成果は立地がすべて。立地とは、他人が借りたい物件かどうか。

「立地がよい ↓ 需要がある ↓ 空室リスクなし」――この勝利の方程式が成り立つ物件を安く仕込むことが成功の秘訣といいます。

マンション販売業者の口車

T氏はワンルームマンションの販売業者のセミナーに出席しました。講師は「マンションを使った節税術」を力説しています。

「安定収入が入り、節税もバッチリ。夏は涼しい北海道、冬は暖かい沖縄へ。みんなタダで行けます。

なぜでしょう？ 物件視察の名目で行けば、旅費や宿泊費は領収書さえあれば、経費で落ちるからです」

　マンション経営で節税した分で旅費がでる、という理屈です。

「賃料収入の帳簿管理を奥さんに頼めば、その賃金は経費で落ちます。青色申告なら、給与は自分で決められますよ」

　経費の積み上げ方を次々に畳み掛けてくる。

「手持ち資金がない方も心配いりません。提携の金融機関を紹介します。ローンは家賃で払えます。それで20年後には家賃の支払いはなし。賃料は丸々オーナー様のもの。老後の心配…？　完全に消えています」

　まったく空室がないという前提だが、人口減少が止まらない今、前提が成立する保証はまったくありません。

　それに入居後、スムーズに家賃を入れてくれるかどうか。また10年も経つと、あちこち修理や取り替えの必要が出てくる。売ろうとすれば、買値の半値ならいい方です。

　ベテラン大家が、再登場してこう言いました。

「借金背負ってまでやらないこと。銀行が貸してくれる？　地獄の道に足を踏み入れています。株なら『しまった』と思えば翌日売れるが、不動産はそうはいかない」

第10章

サルでもできる超ラク確定申告

確定申告とは何か

「無税の人」になるには、副業を持たねばなりません。つまり、「サラリーマン兼個人事業主」という二足のわらじを履く必要があります。

副業を持つと、確定申告は必ず通らねばならない〝関門〟です。ところが、はじめて目にする申告書を前に、立ち往生してしまう人が大勢います。

でも心配いりません。確定申告の時期になると、国税当局は申告センターを各地に設け、サポート体制を整えます。

とにかく、そこへ直行することをおススメします。申告センターからの帰りは、「税金の計算までやってもらえてハンコを押しただけ」と、明るく拍子抜けした表情の人が大半です。

でも、申告書の提出後も、まだかすかな不安が残っています。還付金を受け取るまで、その不安は消えないかもしれません。

約1か月後に還付金の振り込みが確認できると、自然とニンマリし「来年もやるぞぉ」という気持ちになります。

確定申告とは、前年（1月〜12月）の所得を自分で計算し、その所得から所得税を確定し、国に申告・納税することです。

利益が出ていれば、所得税が発生しますから、これを申告・納税するのは、国民の義務です。他方、納め過ぎた所得税があれば、その還付請求は納税者の権利です。ただ、還付請求を「する、しない」は自由です。面倒くさいことはイヤと、ほったらかす人もいます。あるいは、還付金があることを知らなくて、ほったらかしの人もいます。これは「知らないと損する」典型例です。

個人が納めるのが所得税、会社が納めるのが法人税ですが、所得税は所得が高い人ほど税率（5％〜45％と7段階）が高くなります。

副業を持つサラリーマンの場合、給与所得と副業の事業所得を損益通算し、課税所得が黒字であれば、その金額に対応する税率をかけ、所得税を算出します。

課税所得が赤字であれば、税金はゼロですから、給与から天引きされた所得税が全額還付されます。

還付申告とは何か

納め過ぎた所得税を返してもらうための確定申告を還付申告といいます。還付申告なのに「確定申告」と呼ばれるワケは、確定申告と同じ申告書を使用するからです。

還付申告は義務ではないので、やりたくなければ、放置しておけばいいのです。

税金を返してもらうには、納め過ぎの事実を国に知らせる必要があります。その手続きが、還付申告（確定申告）です。

ノーアクション・ノーリターン――何もしなければ、税金は1円も戻りません。あなたが申告書を出すことで、国は余分に徴税していた事実を知ります。

申告書を提出する以外に、あなたが税金を納め過ぎている事実を国に知らせる方法はありません。

いつまでにするのか

還付申告は年初から受け付けていますから、混雑する確定申告期間を避けられます。

申告期限の3月15日を過ぎても問題ありません。

時効にかからない過去5年前の分までなら、5年分をまとめて請求することも可能です。ただ、それぞれの年に対応した源泉徴収票等の証拠書類を添付する必要があります。

ちなみに、確定申告をする人は、約2221万人（2018年）で、そのうち約59％の1305万人が還付申告です。

税務署にとっては、儲けにならないありがたくない〝お客〟ですが、実態は先払いで余分に税金を払ってくれていたお客様です。

還付金が振り込まれたら

税金ゼロの確定申告書を提出した後、税務署から連絡がなければ、約1か月後には還付金が指定口座に振り込まれます。

還付金が振り込まれると、副業の所得が事業所得として認定されたと思いがちですが、その判断はまだ早過ぎます。

理屈の上では、還付後にも呼び出しはあり、修正申告や追徴課税という事態もありえるからです。

「税務調査は8月〜11月の間に実施されるらしいから、その間、平穏であればセーフだ」

これは中小事業主たちの税金談義です。永久にセーフと思いたいですが、税務調査は5年経ってから来るかもしれません。

よほどのことがない限り、雑魚（ざこ）を相手にするほど当局はヒマではないと思いますが、大事なことは、叩かれてもホコリが出ないようにしておくことです。

「不正なければ憂いなし」です。

所得税の計算はやさしい算数

確定申告（還付申告を含む）は、はじめての人には手ごわそうにみえます。しかし、それは完全な思い過ごしです。

要領さえわかれば、だれにでもできる簡単な算数問題です。とにかく、困ったときは申告会場の相談員に頼れば、全部やってくれます。

そもそも確定申告は、個人事業主の義務ですから、約2221万人の申告者が税金の計算に四苦八苦するなら、申告期間の1か月間、国中が大混乱します。

大混乱を回避するため、確定申告は小学校高学年の算数ができれば、税額が出せる仕組みになっています。

それでもはじめてのときは、わからないことだらけが普通です。何時間もネット検索して「これでいいのかな」と迷い、先へはなかなか進みません。

いちばんてっとり早い申告書の作成方法は、わかっている人に直接訊くことです。申告時期になると、税務署や作成会場には、「教えてくれる人」（駆り出された税理士先生たち）がスタンバイしています。

悩む時間がもったいないので、とりあえずそこへ直行するのがベスト・チョイスです。

出かける前に国税庁のホームページで必要な書類を調べておけば、出直さなくて済みます。

日や時間によっては、待ち時間が長いかもしれませんから、時間潰し用の本や会場でできる仕事を持参するのがよいでしょう。

相談員はマンツーマンで、あなたの疑問をどんどん解いてくれます。さらに、持参した必要書類を参考に申告書の作成、税額の計算までやってくれます。

その場で申告書を相談員に提出できるよう、認め印を忘れずに持参しましょう。章のタイトル「サルでもできる超ラク」にウソ偽りがないことを現場で実感してください。

相談員を経て申告書を提出すると、「プロの目でチェック」を受けたものなので、税務署から「ちょっと訊きたい」という連絡は来ないと思っていいでしょう。

1か月後くらいには、還付金の通知ハガキが届きます。

数回やって慣れれば、1人で作成し郵送の提出も可能です。3月15日付の消印があれば期限内の提出とみなされます。

今はスマホやパソコンでも申告できるので、挑戦してみてもいいかもしれません。

なお、国税庁は全国の税務署内に「電話相談室」を設置しています。税務署特有のどこかとっつきにくく、堅苦しいイメージを抱きつつコールすると、丁寧な受け答えに先入観が裏切られます。

白色申告者の記帳義務

白色申告で所得300万円以下の場合は、帳簿の作成義務がないという情報を見かけますが、これは古い情報です。

2014（平成26）年以降は、所得300万円以下の白色申告者にも、記帳と帳簿類の保存が義務化されました。

保管期間は法定帳簿（収入金額や必要経費を記載した帳簿）が7年、書類（領収書や請求書、納品書、送り状など）が5年です。

保存は紙でなければなりませんので、会計ソフトで作成しても、出力して保存することになります。

帳簿の「保存」が義務化されたので、確定申告の終了後に「帳簿なんか捨ててしまえ」というわけにはいかなくなりました。

帳簿は確定申告の際に税務署へ提出する必要はありませんが、税務調査の際には、調査官に見せられるよう保管しておきます。

税務署は最大7年前の分までさかのぼって調査できます。保管期間が7年とあるのはそのためです。

記帳というと堅苦しく考えがちですが、時系列で取引年月日、取引先名、金額、売り上げの合計金額などを、家計簿をつける要領で記帳すればよいのです。

少額な現金売り上げはひとつひとつ帳簿につけず、1日分をまとめてつけることもOKです。

「記帳＝面倒くさい」と捉えず、副業の売り上げや儲け、経費はいくらかかっているのかなど、事業の中身を数字で把握することは、「無税の人」を目指す上で重要です。

白色申告と青色申告

個人事業主が確定申告をする場合、青色申告と白色申告の2つの方法があります。青色とは活字やラインの色のことですが、実際は青より緑に近い色です。白色申告も、申告書が白色なのでそう呼ばれます。

青色申告をするには、所轄の税務署に「青色申告承認申告書」を提出しなければなりません。その手続きには次の2通りがあります。

- **新規に開業した場合…開業日から2か月以内に「承認申請書」を提出します。**
- **その年に青色にする場合…その年の3月15日までに「承認申請書」を提出します。**

たとえば、２０２１年分から青色申告をしたい場合は、２０２１年3月15日までに申請書を提出しなければなりません。

白色申告とは、青色申告の届け出をしていない人の申告方法をいいます。ザックリいうと、白色申告は少々「テキトーな申告方法」で、経理の知識をほとんど必要とせず、時間も多くとらないので気楽にやれます。

白色の経理作業は現金、預金の出入り、経費の明細などを記入した「収支内訳書」を提出するだけです。

一方、青色申告には、「青色申告決算書」の提出義務があり、「キチンとした申告方法」といえます。税務署も帳簿の整備が期待できる青色申告を薦めています。

青色申告を選ぶと、複式簿記による記帳を行うこと、関連帳簿の5年保存など、事業主に相当の負担を義務づけているため、次のような節税のための特典が与えられています。

- 65万円の特別な所得控除（簡易記帳なら10万円）。
- 家族を従業員にすることができ、その給与は所得控除の対象になる。
- 事業の赤字を3年間、繰り越せる。

大きく稼いでいる人は、節税を考えますから青色申告を選びます。ただ、経理知識の乏しい人が、厄介な経理作業をうまく捌けるかどうかが問題です。経理ソフトを使えば、損益計算書や貸借対照表などが容易にできるといわれますが、人によっては〝悪戦苦闘〟するかもしれません。

「無税の人」は白色申告で

副業の赤字が給与所得の黒字を削ることで、所得税の過払い状態が生まれ、還付金が手に入ります。これが「副業を使った無税スキーム」です。

副業が赤字の場合には、青色申告の65万円の特別控除が使えないから、無税狙いのサラリーマンは、わざわざ経理処理のややこしい青色申告を選択する理由はありません。

「儲けが大きくなってきた。無税にするには無理がある」という状態になれば、翌年の確定申告のときに「白色から青色」に切り替えればいいのです。

青色への変更は、希望する年の3月15日までに申請すれば、その年から青色申告として確定申告できます。

たとえば、２０２１年3月15日までに変更手続きをすれば、２０２１年分（1月1日～12月31日）は青色申告でできます。そして確定申告は、翌年の２０２２年2月16日から3月15日までに行います。

なお、承認申請書は国税庁のホームページからダウンロードすれば、税務署に取りに行く手間が省けます。

逆に、青色から白色に変えたい人もいるでしょう。開業届を出したときに、一緒に青色申告承認申請書を出した人などです。

この人が「青色から白色」に変更したい場合には、確定申告のときに、「青色申告取りやめ届」を添付すれば、その年度分から取りやめになります。

ただし、取りやめ届を提出してから、1年以内に再び青色申告の承認申請をした場合には、税務署はこれを却下できます。

「却下」の真意は、「青にしたり白にしたりフラフラしないでください」ということなのか。当局に却下されても白色申告を2年間やった後なら、つまり3年目からはまた青色申告に戻れます。

終章

グレーゾーンの歩き方

なぜ塀の中に落ちないのか

2013年2月、会社員や個人事業主に不正還付を指南していた男（34）が、東京地検特捜部に逮捕されました。

「塀の中に落ちるのはシステムを知らないからだ」

これは作家・浅田次郎氏の言葉です（雑誌「鳩よ」1996年11月号）。ここでいう「システム」とは法の定めた制度（あるいは仕組み）のことで、制度のふちの上を歩く限りは、逮捕を免れ塀の中に落ちないという意味です。

浅田氏は、犯罪小説からスタートしました。「初等ヤクザの犯罪学教室（初出『月刊小説』88年~90年）」が初期の作品です。

脱税指南で逮捕された男は、浅田氏の言によれば「システム」を知らなかったか、きちんと理解していなかったことになります。

しかし、私は「それは違う」と思います。男は「システム」を知っていたが、金銭欲に負けて脱税コンサルタントをしていたのです。

事業所得と雑所得の境目があいまいなので、境界線を踏み外すことはありますが、悪質性がなければ、先の男のように逮捕されることはありません。

無名時代の浅田次郎氏はブティックを経営しつつ、文筆にいそしんでいました。店では首から採寸用のメジャーをかけた浅田氏は、どちらを本業と考えていたのでしょう。

浅田氏はサラリーマンではなかったし、趣味で書いていたわけでもありません。奥様は夫の本業を「作家」と思っていました。

では、彼の文筆業の所得は、雑所得だったのか、事業所得だったのか。

捕まらなかった理由

【現役税理士が警鐘】

「〝無税の人〟只野氏よ、あなたの方法はここが問題だ」

このタイトルで税理士の高橋節男先生が、ネット上に文章を発表されました（マネージン　2008年12月6日）。12年前です。

今回、この本を書くに当たり、旧作に関する記事を探していたところ、この記事に出合いました。初出のときには目にしていません。

先生がご指摘になっている問題点を私なりに整理してみました。

1 只野はイラスト描きでは生計が維持できていないのに、なぜその所得が「事業所得」として認められたのか。

2 それは「認められているのではない」。これまで事業所得として通ってきたのは、所得が少額なので、税務署の「お目こぼし（見逃し）」だったと考えられる。

3 お目こぼしがずっと続く保証はなく、幸運だっただけだ。

4 税務調査が入ると、税の素人の只野では税務署員に対抗できない。

5 最悪7年前にさかのぼって追徴される可能性がある。

6 「お目こぼし」が保証されていないことが、只野の抱える問題点であり、大きなリスクである。

「只野範男はなぜ、のうのうと〝無税の人〟でいられたのか」——多くの人の疑問はこの一点に集約できると思います。

高橋先生は、その疑問に次のように答えておられます。

「事業所得と雑所得はグレーゾーンなので判断が非常に難しいが、これまで只野氏が無事だったのは、当局の〝お目こぼし〟だったというのが実状ではないか。なぜなら、10年経過しても売り上げが向上せず、生計が事業では立てられないからです」

高橋先生によれば、生計が立てられないのに事業所得として通っていることが、「お目こぼし」以外のなにものでもないというのです。

「お目こぼし」を辞書で調べると、「とがめるべきことをわざと見逃すこと。大目に見ること」とあります。

なぜ「わざと見逃すのか」といえば、雑魚から徴税できる金額が、徴税コストを上回らない、つまり、雑魚を追いかけると赤字になるからです。

確かに、私はイラストだけでは食えていません。だから、雑所得で申告すべきだったのでしょうか。私は事業所得だと考え、そのように申告しただけで、判断は当局にゆだねていました。

当時の私は、税務署が「お目こぼし」してくれるという発想を持っていませんでしたが、現実にその恩恵を受けたことになるのなら、それはそれでありがたいことです。

厭戦主義者

サラリーマンが副業から得る収入は、ほとんどの場合、雑所得とみなされます。雑所得の赤字は、給与所得と損益通算できないので、給与から天引きされた税金は1円も還付されません。ブーメランは手元に戻ってこないのです。

私の場合、副業の所得が事業所得に認定されなければ、「無税生活」は即刻頓挫します。しかし、そうはなりませんでした。

「運がよかったのです」

と高橋先生はおっしゃいます。「幸運に恵まれた」と私も思っています。もし当局から呼び出されたら、「いろいろな反論を考えていたでしょう」と先生はお書きになっていますが、私は税務署の担当官と議論するつもりはありませんでした。

攻防なんてとんでもない。担当官が訊いてくることに懸命に答えるだけです。税のド素人が、税のプロを言い負かせるとは考えていません。

相手はあらかじめ結論を用意しているでしょうから、時間とエネルギーを不毛のディスカッションに費やす気はありません。

私は権力とは闘いません。相手が抱いていると思われる「落とし所」に自分を合わせていくだけです。ただ、7年前にさかのぼって追徴課税するといわれれば、3年に負けてくれと交渉はします。

グレーゾーンの話なので、相手も折り合ってくれると思います。いや、3年に負けることは相手も織り込み済みでしょう。幸い、そのような場面には一度も遭遇しませんでした。

税務署が「これは雑所得だ、申告し直せ」と事業所得を否認する場合には、その根拠を示す必要があります。

納税者は当局の示す根拠と理由を聞いて、どうするかを考えればいい――そういう説を聞いたことがありますが、私はそうであっても論戦するつもりはありません。

素朴な疑問

以下は当時の私の実状です。

私の本業はイラストレーターです。生活のため、中小企業の正社員も兼ねていました。職場には、同じ業務をするアルバイトが十数名いました。

正社員の方が何かと有利なので、私は正社員という身分を選びました。収入の配分は、「本業（イラスト描き）1、副業（正社員）9」、時に「2対8」くらいになることもありますが、決して逆転は起こりません。

本業で食えていないなら、その収入は「雑所得」に分類される、という理屈はわかっていますが、私は「事業所得」として確定申告していました。

私が退職し、妻が替わりに働きに出ると、どうなるのでしょう？　どこからみても、イラスト描きが私の本業になります。

そこから生まれる所得を、当局は「雑所得」とみなすのか。その理由が「本業では食えていない」ということなのか。

サラリーマンをやめた私が、イラスト1本でやるようになると事業所得になるのか、食えないからやはり雑所得なのか。
この辺の「税の事情」が、素人の私には手に余るのです。

（終）

巻末付録①

<非課税世帯の優遇制度>

住民税非課税世帯として認められれば、一定の優遇措置が受けられます。

給付金

★ 臨時福祉給付金

政府が臨時的な措置として実施しているもの。毎年支給金額に変更あり。「臨時」なので、いつまで継続されるかわからない。政府が多分に政治的理由で支給を決定し、市町村が受付窓口になります。

健康、介護の優遇措置

★ 国民健康保険料の減免

住民税の世帯主の課税所得に応じて、2割から7割の減額(市町村で異なる)。非課税世帯は最高の7割が適用されます。なお、減免は国保の加入者に適用されますから、国保に加入せず、会社の健康保険に加入しているサラリーマンは、減免制度の適用外です。なお、会社の健康保険の保険料は、税金ではなく給与(標準報酬)によって決まるため、非課税者に対する優遇策はありません。

★ 高額療養費の負担減額措置

住民税非課税者の場合、1か月の自己負担上限額が、最低の3万5,400円になります。なお、健康保険の標準報酬月額53万円以上の場合は、住民税非課税世帯であっても、「低所得」3万5,400円は適用されません。

★ 入院中にかかる食事代

自己負担額の減額

★ 人間ドック検査料助成

★ 予防接種

無料

★ がん検診の自己負担金を全額免除

胃がん・乳がん・子宮頸がん・喀たん細胞診・大腸がん

★ 診断書・証明書発行手数料

全額免除

★ 介護施設の食費・居住費にかかる利用者負担の軽減

★「高額介護サービス費」の軽減

★ 介護保険サービス事業の在宅生活支援

在宅で高齢者を介護している家族に紙おむつなどの介護用品を支給（無料）
家庭へ委託業者が入浴槽を運搬し、入浴介助等を行います。（無料）

育児費、養育費、教育費の援助

助成内容に差が出るのは、各自治体の財政状態と方針によるところが大きい。

★ 市立幼稚園保育料の減免

★ 私立幼稚園就園奨励費補助金の給付

補助限度年額（市町村による）
・非課税世帯　第1子 30万8000円
・市民税の所得割課税額が21万1200円以下の世帯　第1子 6万2200円
・上記以外　補助金なし

★ 公立幼稚園利用料／入園料

全額免除

★ 子育て家庭ショートステイ事業

減免

★ 子ども一時預かり事業

飲食物費の500円のみ

★ 放課後児童クラブ利用料

減免

★ 大学等入学支度金給付制度

大学等の入学金として
1人当たり20万円支給

★ 市の奨学給付金

非課税世帯に属する人は、県の奨学給付金との併給可

住居の優遇措置

★ 市営・都営住宅の家賃

減免

巻末付録②

＜無税達成副業ガイド＞

★「無税の人」になれる副業の条件

・資金をかけずに開業できる
・生活費が経費と重なる
・一芸に秀でている
・専門知識がある
・ニッチ産業を狙う

★職種例

＊並行輸入ビジネス
＊ワインコンサルタント
＊ネット販売（ハンドメイドの革財布、フィギュア制作・販売など）
＊フリーライター／ウェブライター
＊士業（週末行政書士／週末宅建）
＊予備校講師
＊ドライバー
1．要介護者を送迎する車の運転手
地元の派遣業者に登録しておくと仕事が回ってきます
2．運転代行
主に深夜に飲酒をしたドライバーの代わりに運転をして自宅まで運転を代行
＊フォークリフト運転手
要免許。要講習。講習を受けると免許は簡単にとれる
＊オンライン日本語教師
空いた時間が使える。ただし、レッスンは英語のため英語力がいる。
TOEIC800点、英検準１級以上が採用の目安
＊ネット登録バイト
病院のリスト作成など
＊自家用車レンタル
車が他人に使用されることに抵抗感のない人向け。
24時間6000円が相場、10％の手数料が引かれる
＊不動産賃貸業
一部屋からはじめられるサラリーマン大家
＊結婚式の代理出席

只野範男の自画像

とある繊維関係の中小企業に勤めていましたが、
一貫して傍流を歩み、総務第2課営繕係長で
定年を迎えました。
約10年前に出した『無税入門』がベストセラーになり、
望外の思いをしたので、脳の鍛錬に
また本を出すことにしました。

〈10年経過〉

10年経って変わったこと。
個人的には体力と毛髪の減退。
順調な老化に納得感あり。
10年前と変わらなかったら怪人です。

10年前と比べて犬が増えた。
人口は減ったが、「犬口」は増えた。
よく散歩させられている。
小生は犬を飼う気もないし、資金力もない。
エサを買う余裕があれば、トンカツにまわします。

フンの始末をするのがとにかくイヤ。
しゃがんであんなこと、
みなさん、よくやっているよ。
素朴な疑問だが、臭わないのかな…。
小生、自分のフンだけで精一杯です。

〈定年後〉

することがない。なにをしていいかわからない。
長い年月、高等教育を受けた人が
労働からやっと解放された余生に
することがないなんて
アマゾンの裸体の原住民でも
そんな突飛なこと、言わないよ。
すること、やりたいことがないとは
ひょっとして「生き仏」になったってこと?

〈終幕準備〉

戒名、墓石、葬式、読経、一切不要。
読経はとくにお断り。
頭上で意味不明なことをわめかないで。
小生の骨は全部火葬場に処分してもらいます。
捨ててください。
骨も所詮、骨、残しておく意味はない。
これって「究極の終活」じゃないの。

散骨を考えたが、自分ではできないからやめた。
死んでまで他人をわずらわせたくない。
お礼をいえないのに私用は頼めない。
海に散骨を希望する人がいます。
海底で骨をキンキンに冷やされたら
寒くて安眠できないけど死んでいるから
ＯＫってこと？

犬のフンといい、海への散骨といい
生活していると、他人事なのに
小さな疑問がわいてくるのです。

〈若さと老い〉

青春という言葉はあるが
老春という言葉は
広辞苑には載っていない。
老醜という言葉はあるが
若醜という言葉は
どの辞書にも載っていない。

長い人類の歴史の中で
「老醜」という言葉は生まれたが
「若醜」という言葉は今も生まれていない。
なぜか？
若さの中に醜さを発見できないからです。

若者は若さという宝石を
あふれるほど持っているが
その貴重さに気づかない。
老人は宝石を失くしてから
「あの頃が大事だったな」と悔いる。
宝石を河原の小石のように
粗末に扱えるのも若さの特権だ。

「心が青春なら人は老いない」
をモットーにしている老人がいます。
こういう人は「第二の青春」という
言葉も大好きだ。
そして「老醜」という言葉を耳にすると
まわりを見回して老人を探す。
その強固な自信に圧倒されます。

世の中、いろんな方がおられてカラフル。
タダノ・ノリオ、ただいま街中に
深く潜ってぼちぼち生きています。

本書は、２０１８年11月に小社から刊行された単行本に加筆・修正を加え文庫化したものです。

完全版 無税入門 文庫版

2020年12月15日　第1刷発行

著　者　只野範男

発行者　大山邦興

発行所　株式会社　飛鳥新社
〒101-0003東京都千代田区一ツ橋2-4-3
光文恒産ビル
電話（営業）03-3263-7770（編集）03-3263-7773
http://www.asukashinsha.co.jp

装　丁　小口翔平＋奈良岡菜摘（tobufune）

装　画　ヤギワタル

本文デザイン　菊池崇（ドットスタジオ）

本文イラスト　安久津みどり

印刷・製本　中央精版印刷株式会社

落丁・乱丁の場合は送料当方負担でお取り替えいたします。
小社営業部宛にお送りください。

ISBN978-4-86410-794-5

編集担当　小林徹也